Jane Mitchell

Im Tunnel Sterne suchen

Aus dem Englischen von
Ursula Schmidt-Steinbach

Deutscher Taschenbuch Verlag

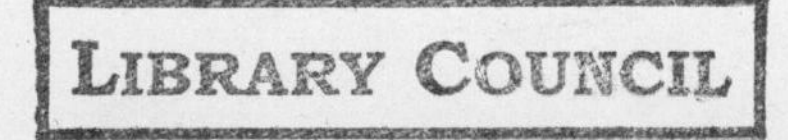

Die Übersetzung dieses Bandes wurde vom Übersetzungsfonds der ILE, Dublin, finanziell gefördert.

Deutsche Erstausgabe
In neuer Rechtschreibung, Stand 1996
Oktober 1998
Deutscher Taschenbuch Verlag GmbH & Co. KG, München

Titel der englischsprachigen Originalausgabe:
›Different Lives‹, 1996 erschienen bei
Poolbeg Press Ltd., Dublin

Umschlaggestaltung: Jorge Schmidt
und Tabea Dietrich
unter Verwendung eines Fotos von Jan Roeder
Gesetzt aus der Stempel Garamond 11/12½
Gesamtherstellung: Ebner Ulm
Printed in Germany · ISBN 3-423-78120-3

Jane Mitchell

Im Tunnel Sterne suchen

Dieser Band ist auf 100 % Recyclingpapier gedruckt. Bei der Herstellung des Papiers wird keine Chlorbleiche verwendet.

Jane Mitchell arbeitet in einer Reha-Klinik in Dublin und schreibt für Kinder und Jugendliche. Ihr erster Jugendroman ›When Stars Stop Spinning‹ wurde 1994 mit dem Bisto Book of the Year Award ausgezeichnet und stand auf der Auswahlliste für den irischen RAI-Award.

Für meine Großeltern
mit den allerbesten Wünschen

Erster Teil

Sarah fror, als sie vor dem Eingang des Vorortbahnhofs stand und wartete. Es war sicher der beste Ort für dieses Treffen, denn das Risiko, hier jemandem über den Weg zu laufen, den sie kannte, war gering. Niemand aus ihrer Familie fuhr von hier aus mit dem Zug zur Arbeit oder zur Schule, also musste sie nicht befürchten von ihnen entdeckt zu werden, während sie allein da stand.

Um ganz sicher zu gehen hatte sie ihren schweren Rucksack über ein Mäuerchen gehievt und dahinter abgestellt, damit man ihn nicht sofort sah. Außerdem stand sie ein ganzes Stück von der Hauptstraße weg, war verdeckt von den Fliederbüschen und Fuchsien, die in verschwenderischer Fülle auf dem kleinen Platz vor dem Bahnhof blühten. Keiner konnte sie hier sehen, aber sie hatte die Straße voll im Blick. Dichter Berufsverkehr strömte in Richtung Stadt, doch das interessierte Sarah nicht. Sie beobachtete die weniger befahrene Gegenspur, die nach Süden führte, nach Dùn Laoghaire, zur Autofähre.

Es war ein kühler Septembermorgen, ruhig, nur ein grauer Nebel wisperte über die gläserne Oberfläche der Irischen See. Wo ein Luftzug die See berührte, kräuselte sich ihre Haut. Die Luft roch feucht und nach Tang. Der Strand war leer, aber das hatte Sarah auch nicht anders erwartet – es war Teil ihres Plans gewesen. Es war wichtig, dass man ihre Spur nicht so leicht verfolgen konnte. Wer sie trotzdem von der Straße aus bemerkte, konnte sie leicht für eine Pendlerin halten, die darauf wartete, dass jemand sie zur Arbeit mitnahm.

Außerdem hatte sie sich, falls sie tatsächlich jemand fragen sollte, vorgenommen einfach knallhart und ohne Ausflüchte zu sagen, dass sie von zu Hause weglief. Na und? Was war schon dabei? Man würde sie wohl kaum an den Haaren zurück nach Hause schleifen. Sie hatte die Erfahrung gemacht, dass die Leute, wenn sie ihnen frei heraus sagte, was sie dachte, gewöhnlich nicht weiterfragten, sondern klein beigaben und sie in Ruhe ließen. Sie erwarteten normalerweise nicht, dass man ihnen die Wahrheit ins Gesicht sagte, sie hatten es lieber, wenn man um den heißen Brei herumredete, diplomatisch antwortete und überlegt. Nicht ehrlich und frei heraus und wahrheitsgemäß. Ihr Vater machte ihr ständig Vorhaltungen, weil sie zu direkt mit den Leuten redete.

»Es gehört sich nicht und ist auch nicht sehr höflich, so ganz ohne Umschweife auf Fragen zu antworten, Sarah«, sagte er immer. »Du bist zu kurz angebunden und bei jemandem, der noch so jung ist wie du, wird das als frech und altklug empfunden.«

Das war ein Streitpunkt zwischen Sarah und

ihrem Vater. Sie war anderer Meinung. »Ich bin nicht frech und auch nicht altklug«, widersprach sie hitzig, »ich sage nur die Wahrheit. Wenn die Leute die Wahrheit nicht hören wollen, sollen sie die Frage nicht stellen. Wenn ich die Frisur von irgendwem nicht mag, sag ich das. Was hat es für einen Sinn, da zuckersüß rumzureden? So was zu sagen wie: ›Wichtig ist doch nur, dass es dir selbst gefällt‹ oder ›Es ist ungewöhnlich, aber es steht dir‹. Ich denk nicht dran, so einen Unfug zu reden.«

Sarah zitterte jetzt, wusste aber nicht, ob vor Kälte oder Angst oder Aufregung. Vielleicht war es eine Mischung aus allem. Hätte sie bloß ihre Jeansjacke nicht in den Rucksack gesteckt. Aber die Jacke lag ganz unten, unter all ihren anderen Sachen, und sie würde jetzt nicht anfangen nach ihr zu kramen – bestimmt käme genau in diesem Augenblick der Lastwagen angefahren und sie würde den Eindruck machen, als sei sie schlecht vorbereitet und schusselig. Also zitterte sie weiter, steckte die kalten Hände unter die Achseln und zog die Schultern hoch.

Ein kleiner Mischlingshund kam auf den Platz getrottet, begann herumzuschnuppern und hob ab und zu das Bein. Da Sarah nichts anderes zu tun hatte, schaute sie ihm zu. Er kam schließlich auch zu ihr, roch neugierig an einer ihrer Stiefelspitzen und beäugte sie dann argwöhnisch.

»Hallo, du«, sagte Sarah leise. Der kleine Hund verlor bald das Interesse und setzte seinen

Morgenspaziergang fort, indem er zu dem tiefen Graben neben den Geleisen hinübertrottete. Sarah schaute ihm nach, bis er aus ihrem Blickfeld verschwunden war. Sie holte tief Luft und sah auf die Uhr. Zehn nach acht. Sie stand jetzt schon fast eine Viertelstunde da.

Er hatte acht Uhr gesagt.

Sarah war an diesem Morgen schon vor sechs auf den Beinen gewesen. Ihren Wecker hatte sie auf halb sieben gestellt, aber sie war so nervös und aufgeregt gewesen, dass sie fast die halbe Nacht wach gelegen hatte. Ihr Bett stand an der Wand, hinter der das Schlafzimmer ihrer Eltern lag, was bedeutete, dass Sarah die ganze heiße, unruhige Nacht hindurch still liegen musste. Hätte sie sich im Bett herumgeworfen, wäre es gegen die Wand gestoßen und bestimmt hätte es dann keine zwei Sekunden gedauert, bis ihre Mutter im Zimmer gestanden hätte um zu sehen, ob alles in Ordnung war oder ob Sarah eine Krankheit ausbrütete. In diesem Fall hätte sie gefragt, ob sie ihr etwas zu trinken bringen oder am Morgen die Schule anrufen solle. Na danke – Sarah konnte gut auf diese Art von Aufmerksamkeit verzichten.

Um sechs hatte sie es nicht mehr ausgehalten und aus ihrem Zimmerfenster geschaut. Es war grau und dunkel draußen auf der Straße. Sarah zog ihren Morgenmantel an und ging ins Bad. Sie hatte kaum etwas zu Abend gegessen, weil sie ein Gefühl im Magen gehabt hatte, als wollte eine Million Schmetterlinge gleichzeitig den Abflug machen. Trotzdem musste sie aufs Klo. Das waren mit Sicherheit die Nerven.

Die Rushhour im Haushalt der Baileys begann gewöhnlich um sieben und dauerte bis halb neun. Jeder hatte seine Routine und alle mussten sich an die Spielregeln halten, wenn nicht das allgemeine Chaos ausbrechen sollte. Der Ansturm aufs Badezimmer war immer am größten, schließlich gab es nur ein einziges für alle sieben Familienmitglieder. Doch nach siebenjähriger Übung waren sie so gut aufeinander eingespielt, dass sämtliche Baileys rechtzeitig mit Waschen, Duschen, Rasieren und allem anderen fertig wurden.

Mal, Sarahs ältester Bruder, war immer als Erster im Bad, da er jeden Werktag in den Schwimmclub ging und um halb acht mit dem Training für die Junioren begann.

Sobald er fertig war, kam Mr. Bailey an die Reihe. Er holte Mal nach dem Training am Club ab und brachte ihn auf dem Weg zu seinem Büro zur Arbeit.

Als Nächste schwebte Sarahs Schwester Alice ein und ließ sich im Badezimmer häuslich nieder, bis Clem sie um acht lautstark aufforderte endlich rauszukommen. So war es zumindest an den Tagen, an denen Clem schon früh im College sein musste. Falls das nicht der Fall war, war Mrs. Bailey dran. Während sie im Bad war, war es Sarahs Aufgabe, ihren kleinen Bruder Lee aus dem Bett zu holen und an die Badezimmertür zu stellen, damit seine Mutter ihn sich nur zu schnappen brauchte, wenn sie die Tür aufmachte, und ihn hineinziehen konnte zum Waschen. Mit Lee war es meistens ein Kampf, er war morgens ein richtiges Ekel.

Normalerweise war Sarah die Letzte im Bad, da ihre Schule erst spät anfing.

An diesem Morgen aber saß sie schon um sechs auf dem Thron und war überzeugt mit allem fertig zu werden, bevor die Rushhour losging. Doch ihr Optimismus war verfrüht – schon nach ein paar Minuten wurde an der Türklinke gerüttelt.

»Wer ist drin?«, zischte Clem von draußen.

»Ich«, antwortete Sarah unwillig. War es denn nicht mal morgens um sechs möglich, in aller Ruhe auf dem Klo zu sitzen?

»Was machst du?«

»Ich stricke einen Pullover.«

»Was?«

»Ich bin gleich draußen. Okay?«

»Ja, aber beeil dich.«

Als sie rauskam, trat ihr Bruder auf dem Treppenabsatz schon von einem Bein aufs andere.

»Warum bist du um die Zeit schon auf?«, wollte er wissen. Seine Augen waren vom Schlaf noch ganz verquollen.

»Genau die gleiche Frage könnte ich dir auch stellen«, erwiderte Sarah und lenkte damit geistesgegenwärtig von sich ab. Clem setzte zu einer Erklärung an.

»Ein paar von uns fahren heute nach Cork. An der Uni dort finden die Endausscheidungen zum Inter-College-Quiz statt. Wir müssen den 8-Uhr-Zug von Heuston aus kriegen.«

Er gähnte und rieb sich die Augen.

»Ich komm dann heut Abend erst ziemlich spät wieder.«

»Na dann viel Spaß und bis später irgendwann«, sagte Sarah, ging in ihr Zimmer und schloss die Tür. Sie hatte sich bemüht es so beiläufig wie möglich klingen zu lassen – so als würde es eben am Abend einfach sehr spät werden, bis sie Clem wieder sah. In Wirklichkeit hatte sie keine Ahnung, wann sie ihn wieder sehen würde, denn bis er aus Cork zurückkam, war sie schon längst auf dem Weg nach England und in ein anderes Leben.

Ein anderes Leben – für Sarah klangen schon die Worte aufregend, faszinierend, verlockend. Die Vorstellung von einem ganz anderen Leben hatte etwas Dunkles, Gefährliches, das ihr einen Schauer über den Rücken jagte – vor allem deshalb, weil Sarah in ihren ganzen sechzehn Jahren daheim absolut keine Gelegenheit gehabt hatte, andere Erfahrungen zu machen als die des totalen Behütetseins. Oder der totalen Langeweile, wie sie es ausdrückte. Und sie hatte beschlossen – vor vielen Monaten schon –, dass sie jetzt genug hatte vom Behütetsein und der Vorhersehbarkeit aller Dinge, von ihrer ereignislosen, faden, sich immer im gleichen alten Trott dahinziehenden Existenz. Sarah hatte genug von dem öden Leben daheim, von ihrer langweiligen, zufriedenen Familie. Alles am Haushalt der Baileys war so harmonisch und ausgeglichen und normal, dass sich Sarah nach einem Spritzer Gefahr sehnte, nach einer Spur von Nervenkitzel, einer Andeutung von Skandal, einem Hauch von Spannung – bloß um ein bisschen Leben in die Bude zu bringen. Nicht einmal die Vergangenheit der Familie hatte etwas zu bieten: Es gab keine Leichen im Keller der Baileys, die ein wenig Würze ins Leben gebracht hätten.

»Wenn es irgendwo riskant wird, ist Sarah garantiert dabei«, hatte ihre Mutter immer gesagt, als Sarah noch klein war – gewöhnlich in einem missbilligenden Ton, wenn Sarah sich mal wieder mit den Jungs auf dem Schulhof geprügelt hatte, von einem Baum gefallen oder im Schwimmbad ins Tiefe gesprungen war, bevor sie schwimmen konnte.

Insgeheim war Sarah auf diese Seite ihres Wesens stolz, sie genoss und pflegte sie, wann immer sich die Gelegenheit bot, auch wenn das innerhalb der engen Grenzen ihres Zuhauses manchmal ganz schön anstrengend war. Mitunter fühlte sie sich von Clem und Lee und Mal und Alice und ihren Eltern erdrückt, so als liefe sie die ganze Zeit mit einer Zwangsjacke herum, auf der »Bailey« stand. Niemand sonst in der Familie hatte ihre rebellische Ader, ihre Geschwister waren alle angepasst und konservativ und glaubten fest an die traditionellen Werte und Wahrheiten, die ihre besorgten Eltern ihnen eingeimpft hatten. Nicht so Sarah.

Sarah war anders.

War immer anders gewesen.

Würde immer anders sein.

Und jetzt, dachte sie aufgeregt und schlang erwartungsvoll die Arme um sich, werde ich endlich auch anders leben. Sie war entschlossen das Beste daraus zu machen.

Sarah schaute wieder auf ihre Uhr. Zwölf Minuten nach acht. Erst zwei Minuten, seit sie das letzte Mal draufgeschaut hatte, doch es kam ihr vor wie Stunden. Er war schon mehr als zehn Minuten über der Zeit.

Sarah versuchte die Befürchtungen zu verdrängen, die ihr durch den Kopf schossen. Was war, wenn dieser Christy es sich anders überlegt hatte und sich nicht an ihre Vereinbarung hielt? Vielleicht fand er die Idee, einer Sechzehnjährigen beim Durchbrennen zu helfen, doch nicht so toll. Vielleicht hatte er auf sein besseres Ich gehört, das etwas dagegen hatte, ein junges Ding nach England zu bringen, ohne dass die Eltern davon wussten? Was war, wenn er die Geschichte abgeblasen hatte? Vielleicht hatte er Karen angerufen und ihr gesagt, dass die Sache mit ihm nicht laufen würde? Vielleicht hatte Karen mit Sarahs Mutter telefoniert und ihr alles erzählt?

Sarah spürte, wie Panik in ihr aufstieg. Ihr Magen krampfte sich zusammen. Sie trat mit dem Fuß gegen die alte Backsteinmauer nur um nicht mehr an die Möglichkeit zu denken, dass alles noch schief laufen könnte. Die ganze Sache durfte jetzt einfach nicht platzen. Nicht nachdem sie alles wochenlang geplant und vorbereitet hatte, nachdem sie geknausert und jeden Penny zusammengehalten hatte, nachdem sie heimlich ihre saubere Wäsche gepackt und auch sonst alles bereitgelegt hatte, was sie brauchte. Was würde passieren, wenn ihr Plan nicht aufging?

Mit einem flauen Gefühl im Magen wurde Sarah klar, dass sie sich nie mit der durchaus realistischen Möglichkeit befasst hatte, bei ihrem Weglaufen könnte auch etwas danebengehen. Was war, wenn ihre Pläne nicht aufgingen und sie nach Hause zurückkehren musste? Sich die Szenen vorzustellen, die sich dann daheim abspielen würden, ging über ihre Fantasie. Sie hatte sich nur immer ausgemalt, wie sie nach einer komplikationslosen Reise in London ankommen würde. Ihr Verstand hatte sich geweigert die Möglichkeit, wieder in die Schule und nach Hause zurückgehen zu müssen, auch nur in Betracht zu ziehen. Selbst jetzt, wo ihr der Gedanke unvermittelt gekommen war, schaltete ihr Gehirn ab. Sarah war unfähig sich etwas anderes vorzustellen als einen erfolgreichen Ablauf.

Sie atmete tief durch und zwang sich dazu, positiv zu denken. Karen würde sie nicht derart in die Pfanne hauen. Sie war eine zu gute Freundin. In jedem Fall hätte sie zuerst Sarah angerufen. Und warum sollte Christy es sich plötzlich anders überlegt haben? Er musste immer noch seine Ladung Batterien in Birmingham abliefern. Er musste immer noch nach Leicester und dort seine Kisten mit Speiseöl abholen. Er musste die Fähre kriegen, ob Sarah nun neben ihm im Führerhaus saß oder nicht. Außerdem wusste er wenig bis gar nichts über das Mädchen, diese Sarah, die er mit nach England nehmen sollte. Es war höchst unwahrscheinlich, dass er plötzlich ohne Grund beschließen würde sie doch nicht mitzunehmen.

Aber Sarah wusste, dass der Plan ziemliche Mängel hatte, und das beunruhigte sie. Sie hatte es gern, wenn alles gut durchdacht und organisiert war. Es gefiel ihr, wenn sie eine Situation im Griff hatte, doch das hier hatte sie so gut wie gar nicht im Griff. Die ganze Sache machte ihr schon genug zu schaffen, auch ohne einen Plan, der sich jeden Augenblick zerschlagen konnte. Aber im Moment gab es kaum etwas, das sie hätte tun können.

Außer warten.

Christy war der Bruder der Freundin von Karens Bruder. Er fuhr regelmäßig nach Großbritannien, Europa und noch weiter bis nach Thailand und Indien, wo er für die Speditionsfirma, für die er arbeitete, Ware ablieferte und abholte. Im vergangenen Jahr hatte er Karens Bruder und seine Freundin nach Deutschland mitgenommen, wo die beiden Urlaub gemacht hatten. Es hatte sie nichts weiter gekostet als ein paar Bier für Christy in ihrer Stammkneipe. Karen behauptete bestens Bescheid zu wissen über den selbstbewussten Christy und die Möglichkeit, billig nach England zu kommen, und so hatte sie über ihren Bruder alles organisiert. Sarah hatte das nötige Kleingeld zusammengekratzt, damit Christy sich einen schönen Abend in der Stadt machen konnte, und damit war alles erledigt – laut Karen. Christy würde Sarah um acht Uhr vor dem Bahnhof abholen.

Jetzt war es Viertel nach und er war immer noch nicht da.

Bis zu diesem Augenblick war das Schlimmste an der ganzen Aktion die zufällige Begegnung mit Clem vor dem Badezimmer um sechs Uhr an diesem Morgen gewesen. Sarah konnte sich nicht erklären, wieso, aber in diesem Moment war ihr plötzlich bewusst geworden, dass sie ihre Familie und ihre Freunde verließ. Und zwar *wirklich* verließ und nicht nur für zwei Wochen zu ihren Kusinen aufs Land fuhr. Und auch nicht in irgendeinem romantischen, altmodischen Sinn durchbrannte, vor einer grausamen Stiefmutter floh oder sich auf die Suche nach einem seit langem verschollenen Erbstück machte. Das hier war echt. Das hier war die Realität. Sie ging und hatte nicht vor zurückzukommen.

Nach ihrer beiläufigen Bemerkung zu Clem musste sie die Tür ziemlich schnell hinter sich zumachen, für den Fall, dass ihm die plötzliche Veränderung in ihrer Stimme aufgefallen war.

Sarah hing sehr an Clem. Er war ihr Lieblingsbruder, obwohl sie jahrelang zusammen mit Mal im Schwimmclub gewesen war. Das lag weniger an den Dingen, die sie und Clem zusammen unternahmen – so viele gemeinsame Aktivitäten gab es nämlich gar nicht. Es hatte eher damit zu tun, dass sie sich immer irgendwie nah gewesen waren. Vom Alter her waren sie knappe achtzehn Monate auseinander. Clem war erst vor kurzem achtzehn geworden. Sie waren in vielen Dingen der gleichen Meinung und schienen instinktiv immer zu wissen, was der oder die andere mochte oder nicht mochte. Wie Sarah konnte auch Clem sich im Fernsehen keine Reportagen über Walfang oder Tierquälerei anschauen. Und beide konnten sich zum Frühstück am Sonntag nichts Schöneres vorstellen als gebackene Bananen mit Speck. Im ganzen Haus mochte sonst keiner gebackene Bananen mit Speck, nur Clem und Sarah.

Als Sarah, nachdem sie sich verabschiedet hatte, in ihr Zimmer ging, hätte sie sich das mit dem Weglaufen fast noch einmal überlegt – nur weil sie nicht wusste, wann sie das nächste Mal mit Clem gebackene Bananen und Speck essen würde. Plötzlich war ihr Bruder für Sarah sehr wichtig gewesen, ihm nah zu sein war etwas ganz Wesentliches. Aber sie hatte beschlossen zu gehen, also würde sie auch gehen. Am Morgen noch einmal ein sentimentales Schwanken durchzumachen war gut und schön, aber sie wusste, dass sie bei der einmal getroffenen Entscheidung bleiben musste. Es gab kein Zurück.

Damit sie um acht am Bahnhof war, musste sich Sarah kurz vor halb acht auf den Weg machen. Mal ging ungefähr um zwanzig nach sieben aus dem Haus, dann blieb die Haustür erst mal eine Zeit lang zu, bis ihr Vater um Viertel nach acht mit dem Auto losfuhr. Sarah wollte direkt nach Mal verschwinden, wenn alle anderen sich noch überschlugen um rechtzeitig aus dem Haus zu kommen. Sie hatte ihren Rucksack am Abend zuvor im Fahrradschuppen am Ende des Gartens verstaut und wollte den Hinterausgang benutzen und dann den Weg nehmen, der hinter den Häusern in ihrer Straße entlangführte. Die Zimmer von Mal und Lee gingen hinten raus auf den Garten, aber da Mal dann schon weg sein und Lee noch halb schlafen würde, war die Gefahr gering, dass sie entdeckt wurde, wenn sie mit einem vollen Rucksack davonging. Ihrer Mutter hatte sie gesagt, dass sie mit der Klasse einen Tag der Besinnung abhalten würden, wie es an ihrer Schule üblich war. Das erklärte ihr frühes Weggehen ebenso wie die Tatsache, dass sie ihre Schuluniform nicht trug.

Um Viertel nach sieben saß Sarah auf ihrem Bett und schaute sich in ihrem Zimmer um. Hier hatte sie ihr ganzes Leben lang geschlafen und es war ihr so vertraut wie die Sommersprossen auf ihren Handrücken.

Es hatte sich verändert im Lauf der Jahre und sich ihr angepasst, als sie älter wurde. Dennoch gab es überall Erinnerungsstücke an zurückliegende Lebensphasen – an die Zeiten, als sie noch ein Baby oder ein kleines Mädchen gewesen war, ebenso wie an ihr Teenagerleben.

Unter dem Flickenteppich war der helle

Fleck, wo ihre Mutter den Teppichboden geschrubbt hatte, nachdem sie sich als Dreikäsehoch darauf übergeben hatte. Und manchmal, wenn das Licht der Abendsonne in ihr Zimmer fiel, konnte sie unter dem neuen Anstrich ganz schwach noch das Muster der Teddybärtapete erkennen, die sie gehabt hatte, bis sie sechs war. Dann hatte ihr Vater ihr das Zimmer in einem hellen Buttergelb gestrichen und die tanzenden Teddys verschwinden lassen. Der kleine Schreibtisch und das Bücherregal, die sie als Achtjährige gehabt hatte, waren jetzt ideal für ihre Stereoanlage und die Kassetten. In der Ecke stand die Kommode, die Sarahs Mutter bekommen hatte, als Sarah noch ein Baby war. Es war ein Taufgeschenk gewesen, in dem schneeweiße Stoffwindeln untergebracht wurden und duftendes Babypuder und winzige selbst gestrickte Jäckchen. Ursprünglich war die Kommode rosa gewesen mit Aufklebern von Babys, die auf dicken Wattewolken über die Schubladen schwebten. Als letzter Spross der Baileys hatte Lee sie geerbt, doch als Sarah zehn war, hatte ihr Vater sie aus Lees Zimmer geholt. Er malte sie in einem hellen Gelbton an, damit sie zu Sarahs Tapete passte, und schraubte leuchtend gelbe Griffe an die Schubladen. So bekam sie wieder einen Ehrenplatz in Sarahs Zimmer für ihre Winterpullover, Wollstrumpfhosen und warmen Röcke. Letzten Sommer hatte sie die Kommode an einem sonnigen Nachmittag in den Garten geschleppt und mattschwarz gestrichen. Mit

Schablonen hatte sie goldene Sterne und silberne Monde um die Schubladen gemalt und Messinggriffe drangeschraubt. Dann hatte sie die Schubladen mit Schrankpapier mit Seesternen und Seepferdchen ausgelegt und jetzt bewahrte sie in der Kommode ihre Gedichte und Tagebücher auf, persönliche Briefe und Unterwäsche.

Sie musste lächeln, als sie in Gedanken wieder ihre Eltern vor sich sah, wie sie entsetzt die Luft einzogen, als sie die schwarze, silbern und golden verzierte Kommode sahen, die zum Trocknen mitten im Garten stand.

»Aber warum?«, hatte ihre Mutter gefragt und war wie im Schock um das Möbelstück herumgegangen. »Was war denn nicht in Ordnung damit?«

»Nichts«, hatte Sarah betont. »Jetzt ist sie nur schöner.«

Ihrem Vater hatte es die Sprache verschlagen. Lange hatte er schweigend dagestanden und alles, was er schließlich herausgebracht hatte, war: »Aber ich dachte, gelb *gefällt* dir.«

Sarah seufzte, während sie sich zum letzten Mal in ihrem Zimmer umschaute. Sie konnte nicht lang herumtrödeln. Die Zeit verging und sie musste los. Vor ihrer Tür hörte sie tapsende Schritte zwischen dem Bad und den verschiedenen Zimmern. Sie holte einen versiegelten Umschlag aus ihrer Hemdtasche und legte ihn auf die Kommode. Es war eine kurze Nachricht für ihre Eltern, in der sie ihnen mitteilte, dass sie sich melden würde und dass sie sich keine Sorgen machen sollten. Das war natürlich unpassend, aber sie hatte beschlossen, dass bestimmt alle Nachrichten dieser Art so waren, sogar ellenlange Briefe von Selbstmördern, über denen die Betroffenen stundenlang geschwitzt und sich abgemüht hatten. Wer kann schon sagen, was einen endgültigen Abschiedsbrief passend macht?

Die Schmetterlinge in Sarahs Magen machten sich ein zweites Mal zum Abflug bereit, als sie die Treppe hinunterging. Ans Frühstücken war nicht zu denken. Sie stopfte sich einen Apfel und eine Banane in die Tasche, rief ein »Tschüss« die Treppe hinauf und ging ohne eine Antwort abzuwarten rasch den Gartenweg hinunter zum Fahrradschuppen. Nach einem schnellen Blick zurück zum Haus schob sie den Riegel an der Tür zurück, holte in einem Schwung den Rucksack heraus und stellte ihn hinter dem Schuppen ab, wo er vom Haus aus nicht mehr zu sehen war. Während sie die Tür wieder schloss, schaute sie auf die Uhr – fünf nach halb acht. Sie musste sich beeilen. Schnell öffnete sie das Gartentor, setzte den Rucksack auf und machte sich auf den Weg ohne sich noch einmal umzuschauen.

Jetzt stand sie allein und frierend hier herum und wartete darauf, dass ein Fremder sie mit seinem Lastwagen abholte und nach Birmingham brachte, von wo aus sie allein nach London weiterreisen wollte.

Um zwanzig nach acht war Sarah drauf und dran, ihren Rucksack zu lassen, wo er war, und von der nächsten Telefonzelle aus Karen anzurufen. Da hörte sie ein Stück weiter die Straße hinunter einen Wagen hupen. Es war ein ziemlich tiefer Ton. Sie lief vom Bahnhofsvorplatz auf den Bürgersteig – und wirklich, knappe hundert Meter weiter hielt ein großer Lastwagen mit blinkenden Warnleuchten am Straßenrand. Sarah sprintete zu ihrem Rucksack zurück. Sie keuchte vor Erleichterung, als sie ihn auf den Rücken hievte. So schnell sie konnte lief sie zur Beifahrertür des Lastwagens. Die schwang bereits auf. Um sie zu erreichen musste Sarah ihren Rucksack abstellen und seitlich am Führerhaus zwei Stufen hinaufklettern. Als sie den Kopf durch die Tür streckte, grinste ein junger Mann in Jeans und Jeanshemd sie an.

»Tut mir Leid, dass ich zu spät komme. Ich bin wegen einer kaputten Ampel am Merrion-Übergang in einen Stau geraten. Du bist Sarah, stimmt's?«

Sarah nickte. Vor Erleichterung brachte sie keinen Ton heraus.

»Alles okay? Ich bin Christy«, sagte er und streckte ihr die Hand hin. Sarah konnte sie nicht schütteln, da sie sich mit beiden Händen am Führerhaus festhielt.

»Ich muss nur erst mal meinen Rucksack und mich selber hier reinbringen«, meinte sie, nachdem sie die Sprache wieder gefunden hatte.

Christy nickte.

»Wirf ihn so weit rauf, wie du kannst, ich schnapp ihn mir dann und zieh ihn rein«, sagte er und beugte sich zur Beifahrertür herüber.

Als sie endlich drin war, zog Sarah die schwere Tür mit einem Knall zu und begrüßte Christy richtig. Sie verstauten den Rucksack hinter ihrem Sitz. Christy ließ den Motor wieder an, setzte den Blinker und fädelte sich in den Verkehr Richtung Autofähre in Dùn Laoghaire ein.

»Heute ist ein super Tag für die Überfahrt«, bemerkte er, als Sarah über das ruhige Wasser schaute.

Sie lächelte kurz und nickte, doch sie dachte nicht an das unbewegte Wasser oder daran, dass die Überfahrt ruhig sein würde. Sie spürte eine seltsame Mischung aus Erleichterung und sich lösender angestauter Angst, vermischt mit Gedanken an zu Hause: Gott sei Dank ist Christy aufgetaucht. Einfach super, wie Karen das alles gedeichselt hat! Ob Lee wohl schon auf dem Weg zur Schule ist? Ob Clem schon im Zug nach Cork sitzt? Christy scheint der ideale Mann für die Reise nach England zu sein. Was er wohl über mich denkt?

Ihre Familie steckte mitten in ihrer täglichen

Routine und hatte keine Ahnung, dass sie verschwunden war, keine Ahnung, dass sie aufgebrochen war in ein anderes Land, an einen anderen Ort, in ein anderes Leben. Sie versuchte sich vorzustellen, wie sie reagieren würden, wenn sie ihre Nachricht fanden, doch es gelang ihr nicht. Ihre Fantasie hörte an dem Punkt auf, wo die anderen am Abend von der Schule und der Arbeit nach Hause kommen würden, bereit fürs Abendessen und einen geruhsamen Abend vor dem Fernseher – alle gemeinsam, wie sie zumindest annahmen. Nur dass es so nie mehr sein würde.

Plötzlich hielt der Lastwagen an der Fähre. Nachdem die Formalitäten erledigt waren – Ausweise vorzeigen, die Ladung des Lastwagens überprüfen –, holperten sie über die Rampe auf das Schiff nach Holyhead. Die Aufregung beim An-Bord-Gehen, das Hinaufsteigen zum Passagierdeck und das Suchen nach einem freien Platz rissen Sarah aus ihren Gedanken an daheim. Sie spürte, wie ihr vor Erregung ein Schauer über den Rücken lief, als sie in der steifen Brise an Deck stand und zuschaute, wie Dùn Laoghaire immer weiter von ihr wegglitt. Das war es, was sie sich jetzt schon so lange gewünscht hatte.

Endlich hatte sie ihr Zuhause für immer verlassen.

Sobald sie in Wales angekommen waren und in Holyhead die Zollkontrolle hinter sich gebracht hatten, lenkte Christy den Lastwagen auf die Küstenstraße, die um die walisischen Berge herumführte, und sie waren auf dem Weg nach Birmingham.

Nachdem sie die kleinen Dörfer mit den Steinhäuschen und die ländlichen Gegenden von Wales hinter sich gelassen hatten, wurden die Straßen nach und nach breiter. Bald waren sie auf einer stark befahrenen sechsspurigen Autobahn. Sie brausten dahin, der Lastwagen schaukelte im Rhythmus der Räder und donnerte an kleineren und langsameren Wagen vorbei.

Sarah saß hoch oben im Führerhaus und betrachtete die wechselnde Landschaft draußen. Das Fahren machte sie ganz kribbelig vor Aufregung und es kostete sie Mühe, nicht andauernd breit zu grinsen, während sie aus dem Fenster schaute. Sie war unendlich froh so weit gekommen zu sein, das andere Leben hinter sich gelassen zu haben, so wie eine noch wachsende Schlange ihre ausgedörrte, verschrumpelte alte Haut abstreift, wenn sie bereit ist sich zu strecken und auszudehnen.

Sarah fühlte sich bereit zu wachsen. Sie wollte nichts wie weg aus dem langweiligen Leben in ihrer Familie, wollte aufbrechen zu etwas Neuem und Unbekanntem und Aufregendem.

Ihr Leben war ihr zu vertraut.

Zu vorhersehbar.

Zu langweilig.

Sarah wusste, wie ihr »Leben nach Plan« in der Geborgenheit ihres Zuhauses aussehen würde und was ihre Familie von ihr erwartete.

Sie hatte alle schon so oft über ihre Werte und Überzeugungen reden hören, dass sie manchmal das, was die anderen für sie wollten, nicht mehr richtig unterscheiden konnte von dem, was sie selber für sich wollte. Sie war sich nicht sicher, ob sich die Erwartungen ihrer Familie – dass sie ihren Schulabschluss machen würde, aufs College gehen, sich einen Job suchen, heiraten und Kinder haben würde – mit ihren eigenen Plänen für ihr Leben deckten. Im Gegenteil, sie zweifelte stark daran.

»Eine gute Ausbildung ist das Wichtigste im Leben eines Menschen«, hatte ihr Vater ihr immer wieder gesagt, vor allem wenn sie wieder mal einen Schultest nicht bestanden oder eine schlechte Beurteilung bekommen hatte, in der sich die Lehrer lang und breit über ihr unruhiges Temperament und ihren mangelnden Fleiß ausgelassen hatten. »Ohne eine anständige Ausbildung wirst du es im Leben zu nichts bringen.«

Der Rest der Familie schien sich seine Worte zu Herzen genommen zu haben und lernte brav. Nur Sarah nicht. Sie hasste die Schule und sehnte das Ende herbei. Leidenschaftlich hing sie dem Gedanken an, dass nur das Leben selbst einen Menschen weiterbringen kann. Von Bildung im engeren Sinn – durch Bücher, Schule und Studium – hielt sie gar nichts.

»Du bist für dein Alter noch ziemlich unreif, Sarah«, hatte die Rektorin ihrer Schule erklärt und sie dabei über den Rand ihrer Brille hinweg angeschaut, als Sarah eines Nachmittags in ihrem Büro saß, weil sie sich wieder einmal danebenbenommen hatte. Sarah hatte versucht bei diesen Worten einigermaßen beschämt und demütig dreinzublicken. »Dir fehlt noch ein gutes Stück zum Erwachsenwerden, meine Liebe. Du solltest deine hohe Meinung über dich selbst etwas zurückschrauben, dir mehr Gedanken über deine Zukunft machen, weniger egozentrisch sein. Weißt du, was das Wort bedeutet? Nein? Dann schau heute Abend nach. Du musst innerlich noch wachsen. Mehr über dein Leben nachdenken und darüber, wohin es dich führt.«

Aber genau das mach ich ja seit Monaten, hätte Sarah ihr am liebsten entgegengeschleudert. Seit ewigen Zeiten mach ich mir Gedanken über mein Leben und meine Zukunft – und ich hab da so meine eigenen Vorstellungen. Sie decken sich nur zufällig nicht mit Ihren.

Aber Sarah war klug genug gewesen in diesem Fall einmal nicht zu ehrlich und direkt zu sein.

Das Ergebnis ihrer Überlegungen war gewesen, dass sie möglichst weit weg von ihrer lernbegierigen, konservativen Familie wollte. Sie musste anderswo reif werden und sich entwickeln können, etwas anderes erfahren als Schule und College und Prüfungen, musste ihren Frust abreagieren und ihrer angeborenen Neugier nachgehen können. Sie wusste ganz genau, dass sich ihre Schlussfolgerungen nicht mit den Hoffnungen ihrer Lehrer oder Eltern deckten, aber schließlich war es ihr eigenes Leben und nicht das der andern. Wenn es nach denen ging, sollte sie sogar noch länger in die Schule gehen, noch ein Überbrückungsjahr einschieben, bevor sie die Abschlussprüfungen machte. Damit konnte Sarah sich absolut nicht anfreunden und die Diskussion in der Familie über diese Angelegenheit hatte schließlich den Ausschlag gegeben. Danach hatte sie endgültig beschlossen zu gehen.

Sie hatte noch versucht mit Clem darüber zu reden, doch der hatte die Ideale ihrer Eltern tiefer verinnerlicht, als sie gedacht hatte.

»Ich glaube, dieses Überbrückungsjahr würde dir enorm gut tun, Sarah«, hatte er fröhlich verkündet. »Es würde dir Spaß machen – Erfahrungen im Berufsleben sammeln, dazu Projektarbeit und diese ganzen sozialen Geschichten. Ich wünschte, ich hätte die Gelegenheit gehabt, so was zu machen. Wenn du das hinter dir hast, packst du das Abschlussjahr und den Einstieg ins College locker.«

»Halt die Luft an, Clem«, hatte Sarah abschätzig gemeint. »Ich weiß doch ganz genau, dass das nur ein Trick ist, damit ich noch ein Jahr länger in der Schule hocke, weil Mum und Dad nicht wissen, was ich nach der Schule machen will. Sie versuchen das Unvermeidliche so lang wie möglich rauszuschieben.«

Ihr Argwohn hatte Clem ehrlich überrascht. »Das stimmt nicht. Wie kommst du bloß auf so verrückte Ideen? Sie wollen nur das Beste für dich. Du wirst doch zugeben, dass du nicht unbedingt die Allerfleißigste an der Schule bist, oder? Ein zusätzliches Jahr könnte da Wunder wirken. Du hättest einen besseren Start am College und alles.«

Spätestens da hatte Sarah gewusst, dass sie ihn abschreiben konnte. »Herzlichen Dank, Bruderherz«, hatte sie geseufzt.

Letztendlich war Sarah zu dem Schluss gekommen, dass sie für eine Weile von ihrer Familie weggehen musste, wenn sie wirklich selbst über ihr Leben bestimmen wollte. Einen alternativen Lebensstil auszuprobieren – das klang nicht nur aufregend und abenteuerlich, sondern war bestimmt auch eine gute Möglichkeit, Abstand zu gewinnen von ihrer gesicherten, durchgeplanten Existenz und sie einmal objektiv zu betrachten.

Jetzt hörte sie, während sie so dahinfuhren, Christy zu, der ihr seine regelmäßigen Fahrten nach England und weiter weg schilderte, wo er Fracht anlieferte und abholte. Und ihr gefiel, was er über seine Art zu leben erzählte, es klang in ihren eigenen Gedanken weiter.

»Ich langweile dich doch nicht?«, fragte er plötzlich in ihre Tagträume hinein.

»Bestimmt nicht«, versicherte ihm Sarah. Zu hören, was seinen Erzählungen nach alles auf sie wartete, und zu begreifen, wie viel sie noch lernen musste, machte sie ganz unruhig. Sie spürte deutlich, dass ihr schon eine Menge im Leben entgangen war.

»Ach, Christy«, platzte sie schließlich los, »ich hab gar nicht genug Zeit für alles, was ich noch machen will.«

Er schaute sie von der Seite her an.

»Was soll das heißen? Genug Zeit wofür? Du bist doch noch ein junger Hüpfer. Hast du nicht dein ganzes Leben noch vor dir?«

Sarah schüttelte den Kopf. Sie erwartete nicht, dass Christy sie verstand – manchmal verstand sie sich ja selber nicht.

»Ich meine, wenn es so lang dauert, bis man sich mit den Leuten in einem einzigen winzigen Land wie Wales oder Schottland auskennt, wie soll ich es dann jemals schaffen, genug über das Leben insgesamt zu lernen?«

Christy schaute sie wieder an und grinste.

»Mach mal langsam, Kleine, oder du bist schon ausgepowert, bevor du über London rauskommst. Es gibt doch nur dich. So viel Wissen, dass du sämtliche Universitätsprofessoren der Welt damit versorgen könntest, kannst du gar nicht in dich reinstopfen. Sei nicht so verbissen, mach einfach das, was dein Instinkt dir sagt, dann wirst du deinen Platz schon finden. Setz dich bloß nicht unter Druck.«

Sarah lächelte ihn an. Sie kurbelte das Fenster auf ihrer Seite herunter und ließ sich den kräftigen Wind durchs Haar wehen.

Es war ein sonniger Nachmittag geworden und vom hohen Führerhaus aus sah sie grüne Felder, die sich nach allen Richtungen hin ausdehnten. In der Ferne konnte sie verschwommen die Umrisse rötlicher Berge erkennen.

Es tat gut, mit Christy zu plaudern. Er war ein guter Zuhörer und erzählte auch selber gern. Und vor allem erwartete er nicht, dass Sarah die ganze Zeit über ihr Leben redete. Er bohrte nicht und fragte sie nicht aus, warum sie von zu Hause wegging – ob es einen furchtbaren Streit mit ihren Eltern gegeben hatte oder ob sie schwanger war oder drogenabhängig oder sonst was. Sarah war froh darüber, denn sie wusste, wenn sie einem jungen Mädchen, das sie nie zuvor gesehen hatte, eine kostenlose Mitfahrgelegenheit bis weit in ein anderes Land hinein gegeben hätte, hätte sie alles Mögliche wissen wollen: wohin sie ging, was sie dort machen wollte und warum sie wegging und alles, was ihr sonst noch an Fragen eingefallen wäre. Doch Christy hörte einfach zu, wenn sie anfing zu erzählen, oder erzählte selber, wenn sie schwieg.

Sarah schloss das Fenster wieder und schaute sich im Führerhaus um. Der Krimskrams überall faszinierte sie und beschäftigte sie lange Zeit. Von der Sonnenblende auf ihrer Seite hing ein Kalender und an der Decke klebten Fotos von Kindern, die mit einem großen zotteligen Hund spielten.

»Meine Geschwister mit dem Familienhund«, erklärte er, als er sah, dass sie hinaufschaute. »Ich sehe sie nur alle paar Wochen, darum nehm ich Fotos mit. Auf die Art vergess ich nicht, wie sie aussehen.«

Am Spiegel hing eine flauschige, ehemals gelbe Maus mit steifen blauen Schnurrhaaren. Sie hatte eine rauchgraue Farbe angenommen, was nicht verwunderlich war, denn direkt darunter war der Aschenbecher, der von alten Kippen überquoll.

Auf dem Armaturenbrett lagen haufenweise abgegriffene Karten und Straßenatlanten. Sie rutschten bei jeder Kurve und jedem Schlenker von einer Seite der Ablage zur anderen. Auf Christys Seite ließ der Wind, der durch das offene Fenster blies, die Seiten flattern, doch auf Sarahs Seite lagen sie platt und unbewegt da bis zur nächsten Schlitterpartie. Das Gerutsche irritierte Sarah. Sie hasste es, wenn sich etwas ständig hin und her bewegte oder klapperte oder raschelte oder quietschte. Wenn Alice zu Hause darauf wartete, dass das Teewasser zu kochen begann oder der Toast fertig war, oder auch wenn sie überhaupt nichts zu tun hatte, spielte sie gern mit irgendwas herum. Ihr liebstes Spielzeug war das Medaillon an dem goldenen Kettchen, das sie um den Hals trug. Sie stand dann da, starrte in die Luft und ließ das kleine Medaillon an der Kette auf und ab wandern, immer auf und ab mit einem ratschenden Geräusch. Ritsch, ratsch, ritsch, ratsch. Sarah hielt das immer nur eine gewisse Zeit aus, dann verlor sie die Nerven und brüllte Alice an, die jedes Mal vollkommen überrascht war, da sie das Geräusch überhaupt nicht wahrgenommen hatte. Anscheinend war Christy genauso.

Das Erstaunlichste an diesem Führerhaus waren die dreieckigen Seitenfenster direkt hinter den Sitzen. Davor hingen Spitzengardinen – *Spitzengardinen*! –, die mit seidenen Bändchen zusammengebunden waren. Und als Krönung des Ganzen war mit einem Klumpen Klebemasse ein kleiner Blumentopf mit einem mickrigen Kaktus darin ans Fenster gepappt.

Sarah lächelte vor sich hin. Es war schön, hier im Führerhaus zu sitzen, durch die Landschaft zu rollen und zu wissen, dass es nach Birmingham ging und dann weiter nach London. Ein Glücksgefühl überkam sie. Die Wärme in dem sonnenbeschienenen Führerhaus und das Schaukeln des Lastwagens machten sie schläfrig, so dass ihr schließlich die Augen zufielen.

Als es einen Ruck gab, wachte sie auf. Christy manövrierte den Lastwagen in eine Parklücke auf einer Autobahnraststätte.

»Hast du Hunger?«, fragte er, als er sah, dass sie wieder wach war.

Sarah gähnte und reckte sich.

»Und wie!«, erwiderte sie.

Sie gingen in die Gaststätte hinein.

»Wie weit ist es noch?«, fragte Sarah, als sie beide mit einem Tablett voller Essen zu einem freien Tisch gingen.

»Bis Birmingham noch ungefähr sechzig Meilen«, sagte Christy. Er schaute auf seine Uhr. »Wenn wir auf der Autobahn nicht noch in einen Stau kommen, sollten wir vor halb sechs da sein.«

»Ganz schön flott.«

Christy nickte. »Hast du vor gleich heute Abend nach London weiterzufahren?«, fragte er.

»Ich bin mir noch nicht sicher. Ich weiß nicht, wie lang man mit dem Zug von Birmingham bis London braucht. Wenn ich spät abends in London ankommen würde, übernachte ich lieber in Birmingham. Was hast du vor?«

»Ich lass dich in der Stadt raus und liefere dann gleich die Batterien ab. Ich will sie nicht über Nacht im Wagen haben. Vielleicht fahr ich dann ein Stück raus aus der Stadt und übernachte in irgendeinem kleineren Ort – eine Industriestadt wie Birmingham ist nichts für mich.«

Nachdem sie gegessen hatten, vertrat sich Christy auf dem Rasenstück neben der Raststätte noch etwas die Beine. Sarah schaute sich in dem Laden um, der zur Tankstelle gehörte, und kaufte einen Stadtführer über London. Es dauerte insgesamt keine Stunde, bis sie wieder auf der Straße waren.

Wie Christy vorausgesagt hatte, erreichten sie den Stadtrand von Birmingham um Viertel nach fünf. Er kannte sich gut aus in der Stadt und fuhr direkt zum New-Street-Bahnhof. Dort hielt er am Straßenrand, schaltete die Warnblinkanlage ein und wandte sich dann an Sarah.

»So, da wären wir«, verkündete er mit einem Lächeln. »Bahnhof und Auswanderungsbehörde in einem.«

Sarah schaute ihn an und versuchte ebenfalls ein Lächeln. Ihr sank plötzlich der Mut. Sie schluckte, entschlossen ihn nicht merken zu lassen, dass sie nervös war.

»Okay«, sagte sie und machte sich daran, ihren Rucksack hinter dem Sitz vorzuzerren. Mist. Sie hasste das. Der Abschied von Christy fiel ihr schwer, obwohl sie ihn erst an diesem Morgen kennen gelernt hatte. Wenn das hier vorbei war, dann war sie wirklich und wahrhaftig auf sich allein gestellt.

»Schaffst du's?«, fragte er ungerührt und pulte Essensreste aus seinen Backenzähnen.

»Klar, kein Problem«, erwiderte Sarah und es klang fröhlicher, als ihr zu Mute war. »Ich muss mich schließlich daran gewöhnen, das Ding allein herumzuwuchten.«

Sie kletterte aus dem Lastwagen und Christy reichte ihr den Rucksack hinunter. Sie lehnte ihn gegen das Rad und kletterte noch einmal ins Führerhaus um sich von Christy zu verabschieden.

»Tausend Dank fürs Mitnehmen, Christy. Dadurch war's schon mal ganz einfach, bis hierher zu kommen – das war echt nett von dir.«

Er nahm ihre Hand und drückte sie. »Mir hat's Spaß gemacht, dich dabei zu haben«, sagte er. »Ich weiß ja nicht, warum du hier rübergekommen bist, aber ich hoffe, dass alles so klappt, wie du's dir wünschst. Und mach dich nicht verrückt. Du musst ja nicht gleich alles tun, was es zu tun gibt.«

Sarah ließ sich hinuntergleiten und setzte den Rucksack auf.

Christy legte den ersten Gang ein, winkte noch mal kurz und war schon zurück auf der Straße.

Sie stand wieder allein da, genau wie am Morgen, und schaute dem Lastwagen nach, bis er aus ihrem Blickfeld verschwand. Dann drehte sie sich um und betrat das Bahnhofsgebäude.

Der Bahnhof glich einem Bienenstock, er war voller schwitzender und schlecht gelaunter Pendler, die sich abhetzten um nach Hause zu kommen, bevor um halb sechs die Rushhour begann, und sich dadurch eine Viertelstunde vor den anderen ihre eigene Rushhour bereiteten. Die meisten hatten anscheinend irgendwelche Zeitkarten; sie rannten fast alle direkt auf den Bahnsteig ohne vorher an einem der Schalter anzustehen.

Sarah stellte sich an einem Informationsschalter im Bereich »Ankunft und Abfahrt« des großen Bahnhofs an. Nachdem sie sich sicherheitshalber nach möglichen Taschendieben umgeschaut hatte, zog sie den Reißverschluss an ihrer Gürteltasche auf und holte ein paar Pfundmünzen heraus. Als sie an der Reihe war, sprach sie durchs Mikrofon mit der Frau hinter der Glasscheibe.

»Wann gehen bitte Züge nach London?«

»Euston?«, kam die Frage zurück.

»Wie bitte?« Sarah wusste nicht, was die Frau meinte.

»Soll Ihr Ankunftsbahnhof Euston sein?«

Sarah nickte. »Ja, genau.«

Sie hatte keine Ahnung, ob sie tatsächlich nach Euston wollte, aber dieser Bahnhof klang genauso gut wie jeder andere. Die Frau hämmerte irgendwas in ihren Computer und las dann die Information vom Bildschirm ab.

»17.45, 18.15, 18.36 mit Northern London Railways, keine Intercityzüge; 19.15 und dann immer 15 beziehungsweise 36 Minuten nach jeder vollen Stunde bis 21.36. Der letzte Zug geht 22.50.«

Sarah starrte sie verständnislos an; bei ihr war nur ein Bruchteil der Information angekommen.

»Danke«, sagte sie verzagt. »Und wie lang fährt man nach London?«

»Ankunftszeit – 19.29, 20.01, 20.59. Letzte Ankunft in Euston 01.14«, rasselte die Frau wie ein Papagei herunter.

»Steht das irgendwo angeschrieben?«, erkundigte sich Sarah, die inzwischen begriffen hatte, dass sie von dieser Frau keine wirklich brauchbare Information bekommen würde.

»Hier, bitte schön.« Sie schob einen kleinen Fahrplan durch den Schlitz unter der Glasscheibe.

Was für ein idiotisches System, dachte Sarah, als sie den Plan erleichtert in Empfang nahm. Es wäre doch viel vernünftiger, wenn man den Leuten, die hier anstehen, gleich einen Fahrplan in die Hand drücken und nur noch spezielle Fragen beantworten würde statt alle mit einem Haufen unverständlichem Zeug voll zu quasseln.

Sie stellte sich an die Seite und studierte den Fahrplan.

Wenn sie den Zug um 17.45 noch erwischte,

wäre sie um 19.29 in London-Euston. Die Fahrt dauerte nur eindreiviertel Stunden. Es wäre bei ihrer Ankunft immer noch hell und sie würde schnell ein Zimmer in einem billigen Hotel in Bahnhofsnähe finden. Für eine Nacht konnte sie sich in jedem Fall ein Hotel leisten.

Sie kaufte ihre Fahrkarte, stieg in den Zug auf Bahnsteig 3 und verstaute ihren Rucksack im Gepäcknetz.

Im Zug war es warm und Sarah fand einen freien Platz genau gegenüber von ihrem Rucksack. Sie kuschelte sich in die Ecke. Der Zug hatte kaum seine Reisegeschwindigkeit erreicht und seinen gleichmäßig schaukelnden Rhythmus aufgenommen, da war sie auch schon eingeschlafen.

Es war genau halb acht, als sie aus dem Zug stieg und die Ankunftshalle des Eustoner Bahnhofs betrat. Dort wimmelte es nur so von Leuten. Es schien Hunderte von Bahnsteigen und kreischenden Zügen zu geben, unentwegt plärrten Durchsagen zu Ankunfts- und Abfahrtszeiten aus den Lautsprechern und überall sah Sarah eilige Leute und Schlangen von Menschen, die für dies und das anstanden. An einer Seite des Bahnhofs waren lauter Läden und Imbissstände und Passbild-Automaten. Schwarze, Weiße und Orientalen, Inder, Araber und Südamerikaner standen herum, schlenderten, gingen, trabten, rannten in alle Richtungen. Gruppen fremdländisch aussehender Menschen mit seltsamen Hüten und Turbanen gab es, Schaffner und Gepäckträger, blitzende Neonlichter, Hinweisschilder, Richtungspfeile und Reklameschriftzüge, die die Farbe wechselten. Der mit glänzenden Fliesen ausgelegte Boden war kalt und hart unter den Sohlen, so dass Frauen mit hohen Absätzen drüberklapperten und Kinder neben ihren Müttern herschlitterten. Der Widerhall der Geräusche füllte die Halle: Eine Ansage begann, machte einmal die Runde und verschmolz mit ihrem Ende – kaum die Hälfte der jeweiligen Durchsage war auf diese Weise zu verstehen. Dieselloks brüllten und trompeteten, Gesprächsfetzen in verschiedenen Sprachen und Dialekten wirbelten umher und vermischten sich.

Benommen steuerte Sarah mitten hinein in den verrückten Trubel, ließ ihren Rucksack fallen und schaute und schaute. Im Zug war es warm gewesen und die Fahrt hatte sie schläfrig gemacht, doch jetzt war ihr kalt, sie hatte Hunger und war ganz wirr im Kopf von all dem, was um sie herum vorging. Sie war auf einmal unendlich müde. Millionen von Menschen schienen mit einer Geschwindigkeit von vielen hundert Meilen die Stunde um sie herumzuschwirren. Plötzlich verspürte Sarah wie einen scharfen Stich zum ersten Mal Heimweh.

Sie wünschte, ihre bestimmende und doch Trost spendende Mutter wäre da, würde sie an der kalten Hand nehmen und in Sicherheit bringen. Sie wünschte, sie könnte rausgehen auf die Treppe vor dem Bahnhofsgebäude und ihren stämmigen, verlässlichen Vater in seinem verbeulten Ford auf sie warten sehen. Sie wusste, er würde zuerst hupen und dann aussteigen und wie ein Irrer winken um sicherzugehen, dass sie ihn auch sah. Und wie immer würde er damit nicht nur Sarah auf sich aufmerksam machen, sondern auch sämtliche Pendler, die den Bahnhof betraten oder verließen – Sarah bekam jedes Mal einen roten Kopf, wenn alle sich umschauten und wissen wollten, wem dieser Fremde da zuwinkte. Sie wünschte sogar, die schusselige Alice wäre bei ihr. Alice würde eine vollkommen hohle Bemerkung machen, wie »Oh, schau mal, die vielen Leute!«, was Sarah so in Wut versetzen würde, dass sie das Bedürfnis hätte, augenblicklich loszustürmen und etwas zu unternehmen, nur um nicht mehr neben der verträumten Alice stehen zu müssen.

Aber sie wusste, dass ihre Mutter nicht da war um sie bei der Hand zu nehmen. Und sie wusste, dass ihr Vater nicht an der Treppe auf sie wartete. Und sie wusste genauso gut, dass Alice in diesem Augenblick wahrscheinlich irgendwo anders vor sich hinträumte.

Sarah gab sich einen Ruck und wies sich in Gedanken streng zurecht: Sarah Bailey, es ist keiner da, der sich um dich kümmert und dich zu einem weichen, warmen Bett bringt, wo du heute Nacht schlafen kannst. Also mach dich gefälligst auf die Socken.

Die dringendsten Dinge zuerst, entschied sie. Wenn sie etwas im Magen hätte, würde ihr auch gleich wärmer. Und sie wäre gestärkt für die Suche nach einer Bleibe. Im nächsten Schnellimbiss bestellte sie eine große Portion Pommes frites, einen doppelten Cheeseburger und eine Cola.

Eine Stunde später hatte Sarah ein Einzelzimmer in einem schäbigen kleinen Hotel keine fünfzehn Gehminuten vom Bahnhof entfernt gefunden. Wohl fühlte sie sich nicht in dieser Umgebung. Das Haus wirkte heruntergekommen und Sarah bezweifelte, dass sich je viele Gäste dort einmieteten, aber sie war müde und es wurde langsam spät.

Außerdem ist es ja nur für eine Nacht, versprach sie sich.

Der Hotelbesitzer war dick und hatte fettiges Haar. Er musste ein Italiener oder Grieche sein. Er trug ein Unterhemd und hatte eine nackte Meerjungfrau auf seinen Oberarm tätowiert. Sarah grauste es, als er sie anlächelte. Sie versuchte seinem Blick auszuweichen.

»Bleibst du die ganze Nacht, Kleine?«, erkundigte er sich.

Sarah schaute ihn an. »Natürlich.« Was dachte er denn?

»Dann willst du sicher frische Handtücher?«, fragte er und ließ die Hand eine Sekunde zu lang auf Sarahs Handgelenk liegen, als er ihr die Schlüssel reichte.

»Nein danke«, stammelte Sarah. Vor Verlegenheit bekam sie schon einen ganz heißen Kopf. »Ich hab selber welche dabei.«

Sie fühlte sich unbeholfen und nervös in Gegenwart dieses Fremden, der sie viel zu genau betrachtete. Sie schaute ihn kurz an, als sie ihre Schlüssel schnappte, und ging hinüber zum Lift. Er beäugte sie weiter – ein breites Lächeln auf dem dicken Gesicht –, während sie darauf wartete, dass sich die Lifttüren öffneten.

»Schlaf gut«, rief er, als der Lift endlich kam und sie hineinging. »Hoffentlich fühlst du dich nicht einsam – so ganz allein da oben.«

Ihr Zimmer lag im fünften Stock an der Rückseite des Hotels. Im dritten Stock gab der Lift ein lautes Knirschen von sich und hielt schwankend an. Erschrocken schaute Sarah sich um. Sie drückte noch einmal auf den Knopf zum fünften Stock, doch die einzige Reaktion war ein erneutes Beben und ein kurzer Ruck. Dann öffnete sich die Lifttür – immer noch im dritten Stock. Bevor sie riskierte stecken zu bleiben und den widerwärtigen Hotelbesitzer zu Hilfe rufen zu müssen, schleppte Sarah ihren Rucksack lieber die letzten beiden Treppen hinauf.

Sie war außer Atem, als sie oben ankam, und in ihrem Zimmer war es heiß und stickig. Sarah ließ den Rucksack auf den Boden plumpsen und öffnete das Fenster. Dann ging sie zu dem Doppelbett und setzte sich. Es knarrte und quietschte und sackte in der Mitte ein.

Sie schaute sich im Zimmer um. Es war klein und das Linoleum auf dem Boden war abgetreten und fleckig, aber wenigstens war es sauber. In einer Ecke war ein kleines Handwaschbecken mit einer breiten Rostspur unter dem tropfenden Wasserhahn, gegenüber standen eine Kommode und daneben ein Schrank.

Als sie aus dem offenen Fenster schaute, sah sie im schwächer werdenden Licht nichts als ein Gewirr von Gassen, gesäumt von hohen Häusern, die anscheinend Bürogebäude waren. In den Höfen standen stählerne Mülltonnen, verschiedene ausrangierte Sachen und ein oder zwei Autos auf den winzigen Parkplätzen. Durch ein paar offene Fenster konnte Sarah im Licht ihrer Tischlampen Leute am Schreibtisch oder am Computer arbeiten sehen. Sie schaute auf die Uhr – fast neun und sie schufteten immer noch. Erleuchtete Fenster malten Muster auf fast alle Gebäude.

Sie hatte vorgehabt an ihrem ersten Abend einen Spaziergang in dieser Gegend zu machen, doch jetzt war ihr nicht mehr danach. Der Hotelbesitzer da unten war irgendwie nicht ganz koscher und Sarah hatte keine Lust, beim Hinausgehen und später beim Zurückkommen an ihm vorbeigehen zu müssen. Wahrscheinlich würde er irgendeine schlüpfrige Bemerkung machen. Jedenfalls schien das Hotel, wie immer sie dazu stand, wenigstens eine gewisse Sicherheit zu bieten. Immerhin hatte sie ihr eigenes Zimmer mit – sie warf einen Blick zur Tür – einem Schloss an der Tür. Es wurde dunkel und sie könnte sich leicht verlaufen dort draußen. Sie war müde von der langen Reise und hatte Kopfschmerzen. Vielleicht war es das Beste, wenn sie sich gleich ins Bett legte und dafür am nächsten Morgen früh munter war.

Doch als sie im Bett lag, fand sie keine Ruhe. Sie war hundemüde, wälzte sich aber unruhig herum, als säßen Flöhe zwischen den Laken. Zuerst war ihr zu warm, also strampelte sie die Steppdecke weg. Dann war ihr zu kalt, also zog sie die Decke wieder über sich. Dann war der Verkehr draußen zu laut. Dann war es zu still und zu düster. Aus dem Wasserhahn kamen glucksende Geräusche. Vor ihrer Tür knarrten die Dielen. Das Bett war klumpig. Ihr Nachthemd kratzte. Sie konnte einfach nicht lang genug still liegen um einzuschlafen.

Schließlich stellte sie fest, dass sie Durst hatte. Im Dunkeln tastete sie sich zu dem Handwaschbecken in der Ecke. Auf dem Weg zurück ins Bett blieb Sarah am Fenster stehen, zog die Vorhänge zurück, lehnte sich auf den Sims und schaute hinaus.

Die Büros waren jetzt leer, die Lichter aus, die darin Arbeitenden nach Hause gegangen. Die Gebäude ragten vor ihr auf – dunkle, kauernde Gestalten am Nachthimmel, hinter denen Sarah weitere Bürogebäude erkennen konnte und dahinter noch mehr. Gelegentlich wurden die eckigen Umrisse der Häuser durch einen Torbogen oder eine Kirchturmspitze aufgelockert, die unerwartet irgendwo vorlugte, ein Fremdkörper zwischen den modernen Büroblocks. Unter Sarah blinzelten die Straßenlaternen, kleine weiße Sterne, die auf dem Pflaster kalte blaue Pfützen von Licht entstehen ließen. Es war kein Verkehr mehr auf den Nebenstraßen, alles war still und ruhig bis auf das gelegentliche Zuschlagen eines Mülltonnendeckels oder das Miauen einer streunenden Katze. In der Ferne hörte Sarah das leise Dröhnen des Verkehrs, die Geräusche des Nachtlebens.

Hoch oben, über ihrem Kopf, über der dunklen Silhouette der Gebäude leuchtete die Mondsichel silbrig weiß. Um sie herum hatte der Himmel milchige Flecken. Während sie hinaufschaute, musste Sarah plötzlich an ihren Vater denken. Er war wohl gegen sechs Uhr von der Arbeit nach Hause gekommen, wo ihn wahrscheinlich ihre verzweifelte Mutter mit dem Abschiedsbrief in der Hand erwartet hatte.

Ihr Vater war kein Mann von vielen Worten. Sicher hatte er nicht gewusst, was er zur Mutter sagen sollte, nachdem er Sarahs Zeilen gelesen hatte, aber das war nicht weiter schlimm, denn die Mutter hatte bestimmt genug für beide zu sagen gehabt.

Als Sarah noch klein war, hatte ihr Vater sie manchmal an sternenhellen Sommernächten mit in den Garten genommen, sie hatten sich ins feuchte Gras gelegt und hinauf zu den Sternen geschaut. Sarah hatte keine Ahnung von Sternen und ihr Vater nicht viel mehr, aber zur Not fand er Orion und den Großen Wagen, und wenn sie Glück hatten – oder vielleicht auch einfach, wenn die richtige Zeit dafür war, Sarah wusste es nicht –, entdeckten sie manchmal Kassiopeia.

Vielleicht hätten sie noch mehr Sternbilder gefunden, wenn ihre Mutter nicht jedes Mal mit einem Aufschrei ihr Sternengucken unterbrochen hätte. Sie würden sich beide den Tod holen, schimpfte sie, sich eine Lungenentzündung einhandeln und Hämorrhoiden und Gürtelrose dazu, wenn sie nicht sofort ins Haus kämen – was sie in dem Gefühl, sich irgendwie kindisch verhalten zu haben, auch jedes Mal taten.

In dieser Nacht stand Sarah auf dem bloßen Linoleumboden ihres Hotelzimmers und ertappte sich dabei, wie sie versuchte den Großen Wagen und Orion zu finden. Was immer ihr Vater auch tat in dieser Nacht, er würde bestimmt nicht nach den Sternen gucken, da war sie sich sicher. Höchstwahrscheinlich würde er nicht schlafen können, genau wie sie, und so wie sie in Gedanken bei ihm war, würde er in Gedanken bei ihr sein.

Sarah hatte unbedingt fort von ihrer Familie gewollt, doch jetzt, in ihrer ersten Nacht weg von daheim, ertappte sie sich bei dem Wunsch, ihr Vater wäre da, damit sie zusammen nach den Sternen gucken könnten.

Und als sie sich wieder hinlegte und schließlich auch einschlief, waren ihre Träume voller Erinnerungen an Zeiten, die sie mit ihrem Vater verbracht hatte.

Clem hatte eine Stinklaune, als er in dieser Nacht die Straße hinaufstapfte, in der sie wohnten. Angefangen hatte es damit, dass sein College bei dem Quiz katastrophal abgeschnitten hatte. Sie waren Letzte geworden, und das auch noch mit spektakulärem Abstand. Zum Ausgleich hatten das Team und seine Anhänger versucht ihr Elend in der Studentenkneipe der Universität von Cork zu ertränken.

Nachdem jeder reichlich Guinness intus hatte und sich alle wieder entschieden besser fühlten, machten sie sich in bester Stimmung auf zum Bahnhof – um dort zu erfahren, dass der letzte Zug wegen Getriebeschaden ausfallen musste.

»Für alle Reisenden nach Dublin werden Busse bereitgestellt«, erklärte ihnen hilfsbereit ein Gepäckträger.

Dann also mit dem Bus.

Vierundzwanzig Reisende kletterten in einen wahren Knochenschüttler von einem Bus und holperten nach Dublin. Die ganze Marathonfahrt über war Clem überzeugt, dass seine Guinness sich unversehens zurückmelden würden, und sein Bemühen, während der Fahrt gleichmäßig zu atmen und häufig zu schlucken, bescherte ihm stechende Kopfschmerzen.

Jetzt, um Viertel nach eins, war er endlich hier, fast zu Hause. Er freute sich auf sein Bett.

Als er zum Haus kam, stellte er verwundert fest, dass fast überall das Licht brannte: das Außenlicht über der Haustür, das Licht im Flur und im Treppenhaus, das Licht im Wohnzimmer und im ersten Stock das im Schlafzimmer der Eltern.

Clem wusste, dass seine Eltern gewöhnlich um elf ins Bett gingen. Warum waren sie also noch auf? Vielleicht waren überraschend Freunde zu Besuch gekommen.

Er ging ins Haus und blinzelte in der plötzlichen Helle. Als er die Haustür hinter sich schloss, wurde die Wohnzimmertür aufgerissen und Lee – ganz blass und im Schlafanzug – lugte heraus.

»Lee? Warum bist du noch nicht im Bett? Es ist mitten in der Nacht!«, rief Clem.

Lee ignorierte ihn und sagte stattdessen zu den anderen im Wohnzimmer: »Nein, es ist nur Clem. Er ist aus Cork zurück.«

Clem folgte ihm ins Wohnzimmer und schaute sich um.

Seine Mutter saß in ihrem Sessel am Kamin. Ihre Augen waren rot und verschwollen und in der Hand hielt sie ein Knäuel nasser Taschentücher. Auf der Armlehne ihres Sessels saß sein Vater. Er war so blass wie Lee, schaute ernst und hatte einen Arm um die Schultern seiner Frau gelegt.

Alice saß auf dem Sofa, starrte auf den Teppich und drehte Korkenzieher in ihre Haare, die, wenn sie zu drehen aufhörte, vom Kopf abstanden, was ziemlich bescheuert aussah. Mal stand mit dem Rücken zum Kamin, die Hände hinter sich verschränkt und mit einem Gesicht wie das heilige Donnerwetter. Er schaukelte auf den Fußballen vor und zurück. Der kleine Lee huschte zum Sofa und kuschelte sich neben Alice, die großen Augen auf Clem gerichtet.

Clem blieb wie angewurzelt stehen. Ihm

wurde ganz schlecht und das verdammte Guinness meldete sich wieder.

»Was zum Teufel ist hier los?«, fragte er.

Zunächst antwortete niemand.

»Sagt mir vielleicht mal jemand, was los ist?« Clem hatte Angst. Er wusste, dass etwas Schlimmes passiert war.

Jetzt kam als Antwort ein lautes Schluchzen von seiner Mutter.

»Okay, wer ist tot?«, platzte Clem heraus. Er befürchtete das Schlimmste und spürte, wie ihm das Blut aus dem Kopf wich.

»Niemand ist tot, Clem«, erklärte Alice. »Es ist wegen Sarah . . .«

»Was ist mit Sarah? Wo ist sie? Hat sie einen Unfall gehabt?«

Erst jetzt fiel Clem auf, dass Sarah als Einzige aus der Familie nicht im Wohnzimmer war.

»Sie ist abgehauen«, sagte Mal, wobei er am Ende des Satzes zynisch die Stimme hob.

»Was soll das heißen, ›abgehauen‹?«, fragte Clem. »Ich hab heute Morgen noch mit ihr geredet. Sie kann doch nicht einfach weg sein – sie hat gesagt, wir würden uns später irgendwann sehen.«

»Das hat sie anscheinend an nichts gehindert«, meinte Mal trocken.

Verwirrt ließ sich Clem in einen der Sessel fallen.

Lee begann zu erzählen. Er war noch zu jung um die Verzweiflung der Familie so richtig zu teilen; ein winziger Teil von ihm genoss die Aufregung, auch wenn er wusste, dass das verkehrt war.

»Mum hat mich auf dem Heimweg von der Arbeit bei Seán abgeholt, so wie immer«, erzählte er. »Normalerweise ist Sarah vor uns daheim, aber heute war keine Spur von ihr. Sie hatte irgendwas Heiliges in der Schule heute ...«

»Einen Besinnungstag. Sie sagte mir, sie hätten einen Besinnungstag. Wenn sie mir jetzt in die Finger käme, hätte sie hinterher einen Besinnungstag dringend nötig ...«, warf die Mutter ein.

Lee erzählte weiter: »... und wir haben gedacht, dass es vielleicht darum später würde. Aber als Dad und Mal heimgekommen sind und Sarah immer noch nicht da war, haben wir uns Sorgen gemacht.«

Mal unterbrach Lee und fuhr mit der Geschichte fort: »Ich hab in der Schule angerufen um zu hören, wie lang dieser Besinnungstag dauern soll, ich hätte nämlich Dads Wagen genommen und wäre rübergefahren um sie abzuholen. Aber die Rektorin wusste gar nicht, wovon ich spreche. Die Schule habe überhaupt keinen Besinnungstag abgehalten, sagte sie. Und außerdem sei Sarah den ganzen Tag nicht da gewesen.«

Als sei das ihr Stichwort, richtete sich Alice ein wenig auf und sagte: »In dem Moment bin ich heimgekommen und hab gefragt, ob schon jemand in ihrem Zimmer nachgeschaut hat. Sie hätte schließlich auch im Bett liegen und schlafen können. Niemand hatte daran gedacht. Das ist mir mal passiert, als ich mit Jasmine und Eliza bei diesem Malkurs in Galway war. Wir sollten alle ...«

»Es wär besser, wenn du beim Thema bleibst, Alice«, meinte Clem.

Alice lächelte entschuldigend. »Als ich nachgeschaut hab, war ihr Bett leer, aber auf ihrer Kommode lag eine Nachricht für Mum und Dad.«

»Was stand drin?«

Jetzt meldete sich Mr. Bailey, der bisher geschwiegen hatte. »Nicht viel, mein Junge, nur dass sie sich entschlossen hätte zu gehen und dass wir uns keine Sorgen um sie machen sollten.«

»Was soll denn das heißen, wir sollen uns keine Sorgen machen? Weiß sie denn nicht, dass ich von jetzt an keine einzige ruhige Minute mehr haben werde? Für Madame ist das gut und schön zu sagen, wir sollen uns keine Sorgen machen, wenn sie sich irgendwo in der Weltgeschichte herumtreibt«, beklagte sich Mrs. Bailey. »Da kann ihr doch alles Mögliche passieren!«

»Hat sie was mitgenommen?«, erkundigte sich Clem.

»Ob sie was mitgenommen hat?«, äffte Mal ihn nach. »Mein Schweizer Messer hat sie mir geklaut.«

Mrs. Bailey warf ihm einen ärgerlichen Blick zu. »Das reicht jetzt, Mal. Du hast es seit deiner

Pfadfinderzeit nicht mehr benutzt. Sie hat was zum Anziehen mitgenommen und Handtücher und ihr Sparbuch – ich glaube, das ist alles.«

»Hat sie ihren Personalausweis dabei?«, fragte Clem.

»O Gott, der Ausweis. An den Ausweis haben wir überhaupt nicht gedacht«, rief Mrs. Bailey.

»Ich schau nach, ob ihrer fehlt«, erwiderte Clem. Er war froh einen Grund zu haben, das Zimmer zu verlassen, in dem es vor Spannung nur so knisterte. Er hörte noch die Stimme seiner Mutter, als er leise die Tür hinter sich schloss.

»O Gott, was machen wir, wenn sie das Land verlassen hat . . .?«

Nach einer Viertelstunde war er wieder da. Sein Gesicht war jetzt so blass und mitgenommen wie die Gesichter der übrigen Familie. Er hatte schlechte Neuigkeiten und verkündete sie nicht gern. Er blieb gleich an der Tür stehen und konzentrierte sich auf das Gesicht seines Vaters.

»Er ist weg – Sarahs Ausweis ist weg.«

Sarah öffnete die Eingangstür und betrat die Hotelhalle. Der schmierige Besitzer saß wie üblich hinter seinem Schreibtisch und grinste sie über die Seite drei seiner Boulevardzeitung hinweg anzüglich an. Sarah verdrehte die Augen, als sie sich umdrehte und die Tür schloss.

Jedes Mal das gleiche Theater, dachte sie.

Inzwischen machte er sie nicht mehr so verlegen wie am Anfang. Nach den ersten zwei Tagen hatte sie sich an seine lüsternen Blicke genauso gewöhnt wie an seine ungeschickten Versuche, ihr Handgelenk zu streicheln, wenn er ihr die Schlüssel zu ihrem Zimmer gab. Anfangs hatte sie Angst gehabt, er könnte versuchen sie zu packen oder so. In den ersten drei Nächten hatte sie einen Stuhl gegen die verschlossene Zimmertür gestellt, aber passiert war nie etwas. Anscheinend genügte es ihm schon, ihren Arm zu berühren und sie anzugrinsen oder hin und wieder eine zweideutige Bemerkung zu machen. Jetzt fand sie ihn einfach nur noch eklig mit seinen haarigen Achseln und dem dicken Gesicht, das vor Schweiß glänzte.

Bis sie zu seinem Schreibtisch kam, hatte er die Schlüssel bereits vom Haken genommen und hielt sie ihr hin.

»Danke«, murmelte Sarah und schnappte sich die Schlüssel mit Daumen und Zeigefinger von seiner ausgestreckten Hand, wobei sie die verschwitzte Handfläche kaum berührte.

»Ich hab dir heut frische Leintücher draufgetan«, raunte er.

»Super«, antwortete Sarah, während sie auf den Lift wartete ohne auf seinen anzüglichen Ton einzugehen.

Der Lift quälte sich wie üblich unsicher hinauf zum dritten Stock, von wo aus Sarah die restlichen beiden Treppen zu ihrem Zimmer hinaufstapfte. Keuchend warf sie sich aufs Bett und schaute zur Decke. Ihr Blick blieb an dem großen braunen Fleck hängen.

Inzwischen kannte sie jeden Zentimeter dieses Flecks. Oft hatte sie stundenlang hinaufgestarrt, nachdem sie den ganzen Tag unterwegs gewesen war.

Oder wenn sie nicht schlafen konnte.

Es kam jetzt ziemlich häufig vor, dass der Schlaf nicht kommen wollte, und das beunruhigte sie, denn es bedeutete, dass sie sich nicht wohl fühlte. Immer wenn Sarah sich mit einem Problem herumschlug – einem Streit mit Clem oder einer schlechten Note in der Schule –, nagte das an ihr und ließ sie nicht schlafen. Bevor sie von Zuhause weggegangen war, hatte sie mehrere Nächte lang nicht geschlafen, doch das hatte sie auf die Aufregung geschoben, auf die Angst vor dem Ungewissen, ihre Nervosität. Sie hatte gedacht, wenn sie erst von zu Hause weg und in London wäre, würde sie schlafen wie ein Baby, entspannt und glücklich.

Doch so war es nicht. Meistens warf sie sich nachts unruhig im Bett herum, starrte stundenlang an die Decke und wartete auf diesen halb wachen Schwebezustand, der ihrer Tiefschlafphase normalerweise vorausging. Wenn sie zu gereizt und unruhig war, stellte sie sich ans Fenster und schaute hinauf zu den Sternen oder den Wolkenfetzen, bis sie das Gefühl hatte, ruhiger geworden zu sein und wieder ins Bett gehen zu können. Oft schlief sie erst ein, wenn das kalte Grau der Morgendämmerung sich an den dunklen Himmel schlich, und wachte wenige Stunden später beim Klingeln des Weckers ausgelaugt wieder auf, mit dem Gefühl, betrogen worden zu sein.

Jetzt war es früher Abend und sie starrte auf den vertrauten braunen Fleck, der einen Großteil ihrer Nächte ausfüllte. Manchmal sah sie die Umrisse der Dubliner Bucht auf der linken Seite des Flecks; allerdings war die Halbinsel Howth reichlich verschoben. Und wenn sie die Augen ein wenig zukniff und den Kopf etwas nach rechts drehte, konnte sie den Kippure erkennen, wie er aussah im Nebel oder in tief hängenden Wolken. Allerdings wirklich nur mit dieser Einschränkung, denn sonst wäre es selbst bei ihrer lebhaften Fantasie unmöglich gewesen, sich diesen mächtigen Berg in einem Fleck an der Decke ihres kleinen Hotelzimmers in London vorzustellen.

Sarah war müde, doch an diesem Abend verspürte sie so etwas wie Triumph. In den vergangenen fünf Tagen war sie durch sämtliche kleinen Wohnungen und möblierten Zimmer im Zentrum Londons getrabt, war Dutzenden von Anzeigen in den Stadtzeitungen nachgegangen und hatte versucht einen Platz zum Wohnen zu finden. Auch wenn das Hotel relativ billig war, bedeutete jeder Tag, den sie dort verbrachte, dass sie ihr Budget weit überschritt. Die vergangenen Tage hatten ein beträchtliches Loch in ihre Ersparnisse gerissen. Da sie keine Möglichkeit hatte, sich selber etwas zu kochen, hatte sie meistens auswärts gegessen – ein Luxus in jeder Hinsicht. Selbst die Ausgaben für Hamburger und Fritten summierten sich, wenn sie jeden Abend anfielen. Außerdem wusste sie, dass sie nicht anfangen konnte zu arbeiten, bevor sie nicht eine Bleibe gefunden hatte, und so hatte sie jeden Tag dringlicher nach einem neuen Zuhause gesucht. Sie hatte Wohnungen in allen Formen und Größen gesehen, vom luxuriösen Penthouse, in dem sie sich wie eine Hochstaplerin vorkam, wenn sie in ihren Jeans und Schnürstiefeln auf Zehenspitzen dort herumging, bis hin zu Einzimmer-Schweineställen, wo der Teppich voller Essensflecke war und pockennarbig von eingebrannten Zigarettenlöchern, wo man plärrende Kinder und streitende Familien durch die papierdünnen, feuchten Wände hörte, wo man roch, was die anderen kochten, und mitbekam, wie sie ihr Leben lebten. Sarah hatte schon angefangen sich echte Sorgen zu machen, dass sie vielleicht keine Wohnung finden würde, hatte Angst gehabt, das Geld könnte ihr ausgehen. Wahrscheinlich war das der Grund gewesen, warum sie so unruhig gewesen war und nicht hatte schlafen können.

Doch an diesem Tag war es ihr endlich geglückt.

London hatte eine gewaltige, unvorstellbare Größe. Sie wusste von Besuchen in der Stadt als Kind und aus dem Fernsehen und der Schule, dass die Stadt riesig war, doch erst seit sie mittendrin steckte in der pulsierenden Ansammlung von Gebäuden und Menschen, begann sie zu begreifen, was »riesig« tatsächlich bedeutete. Egal, wohin sie ging, egal, welches Transportmittel sie benutzte, und egal, zu welcher Zeit sie unterwegs war, immer herrschte dichtes Gedränge. Die ganze Stadt glich dem Schnäppchenmarkt in einem Warenhaus beim Winterschlussverkauf. Außerdem dehnte sie sich unendlich weit in unendlich viele Richtungen aus. Sarah konnte von ihrem Hotel aus stundenlang in jede beliebige Richtung fahren, war aber immer noch in London und hätte noch viel weitere Strecken zurücklegen müssen, bevor sie die Stadtgrenzen hinter sich gelassen hätte. Sie versuchte sich die Stadt aus der Vogelperspektive vorzustellen, mit ihrem Zimmer als Mittelpunkt. Doch auch wenn sie im Geist immer höher hinaufstieg, war es ihr nicht möglich, sich die gesamte Ausdehnung bildlich vor Augen zu führen. Sie schaute von so hoch oben, dass die hohen Wolken und die dunstige

Atmosphäre die Sicht behinderten, vermochte sich aber auch auf diese Weise keinen Überblick zu verschaffen. Die Stadt hörte einfach nicht auf.

Ohne ihren Stadtführer von London in der Hosentasche verließ Sarah das Hotel nie. Sie machte die vom Hotel aus nächste U-Bahn-Station ausfindig und hatte schnell entdeckt, dass das Zentrum von London größtenteils südlich von ihrem Hotel lag und dass es deshalb am besten war, die U-Bahn nach Tottenham Court Road oder zum Piccadilly Circus zu nehmen. Morgens stürzte sie sich ins Getümmel, drängelte und grunzte und drückte sich in die Bahn um sich einen Platz zu sichern, bevor die Türen sich automatisch schlossen und alle wieder atmen konnten. An der nächsten Station mussten dann gewöhnlich diejenigen, die direkt an der Tür standen, wieder aussteigen, damit Reisende, die weiter hinten standen, hinauskonnten. Sobald diejenigen, die tatsächlich aussteigen wollten, draußen waren, fing die ganze Drückerei wieder von vorn an. Am Piccadilly oder an der Tottenham Court Road stieg Sarah dann um in die jeweilige Anschlussbahn, die sie dahin brachte, wohin sie an diesem speziellen Morgen wollte.

Sarah hasste die U-Bahn. Schon als sie noch ein kleines Mädchen war und ihr Vater mit ihnen einen Ausflug nach London gemacht hatte, hatte sie dieses Gefühl wachsender Panik gespürt. Sie hasste diese ewig langen Rolltreppen, die jeden verschluckten, der sie betrat, und weit unter die Erde führten, wo die blinden Züge dahinrumpelten und durch schwarze Tunnels rasten. Die Züge erinnerten sie an bösartige, überdimensionale Ratten, die in ihren Gängen herumhuschten. Während ihr Vater für alle die Fahrkarten kaufte, hatte Sarah bei ihren Geschwistern gestanden und mit Schaudern beobachtet, wie Dutzende von Menschen gelassen die Rolltreppen betraten und in einem riesigen schwarzen Abgrund verschwanden, der auch Sarah bald verschlingen würde. Inzwischen hatte sie diese kindische und irrationale Angst, von einem gewaltigen schwarzen Loch verschluckt zu werden, zwar abgelegt, doch auch jetzt war ihr noch nicht wohl, wenn sie die bewegliche Treppe betrat und immer tiefer in die Erde hinabgetragen wurde.

Viel lieber fuhr sie mit dem Bus, wo sie oben sitzen, über den Menschenmassen dahinschaukeln und sich die Stadt und die Leute von ihrem Aussichtspunkt aus begucken konnte. Das einzige Problem beim Busfahren war, dass sie nie genau wusste, wo sie sich gerade befand. Es war zwar ein herrliches Gefühl, hoch über der Erde dahinzugleiten, doch andererseits hatte sie immer Angst, ihre Haltestelle zu verpassen und weit draußen in irgendeiner Vorstadt zu landen, verloren in einem Gewirr aus Gebäuden und umhereilenden Menschen, ohne Fluchtmöglichkeit. Die Wahrzeichen der Stadt sagten ihr nichts, weil sie fremd hier war, für sie waren es nur noch mehr Gebäude oder Denkmäler oder Parks. Bei dichtem Verkehr war es auch schwierig, Entfernungen abzuschätzen, weil die Zeit in keinem Verhältnis zu der zurückgelegten Strecke stand. Außerdem hielt der Bus nicht an jeder ausgewiesenen Haltestelle, so dass es keinen Zweck hatte, die Haltestellen zu zählen oder sie sich zu merken.

Deshalb fuhr Sarah meistens doch mit der U-Bahn. Sie konnte die Strecke auf ihrer kleinen Karte verfolgen und sicher sein, dass sie sich, wenn sie von unten auftauchte, genau da befand, wo sie hinwollte, und nirgendwo sonst. Die U-Bahn ließ sie rechtzeitig zu Besichtigungsterminen und Verabredungen mit Hausverwaltern und Vermietern erscheinen, denn sie fuhr in kurzen Abständen und defekte Ampeln und Verkehrsstaus konnten ihr nichts anhaben.

Jeden Abend kaufte Sarah am Kiosk vor dem Bahnhof die Zeitung, vertiefte sich in die Rubrik »Vermietungen: Apartments und möblierte Zimmer« und kringelte Möglichkeiten ein. Wenn sie sich die Telefonnummern notiert hatte, trabte sie hinunter zum Telefon in der Hotelhalle. Von dort aus rief sie an und vereinbarte Termine um sich die ausgeschriebenen Wohnungen oder möblierten Zimmer anzuschauen.

Sarah hatte in den paar Tagen, in denen sie auf der Suche war, alle Sorten von Menschen kennen gelernt, die ihr alle Arten von Wohnungen gezeigt hatten. Sie wurde von Chinesen und Orientalen herumgeführt, die ihr nicht in die Augen schauten, wenn sie nach dem Mietpreis fragte, die ihr ängstlich von einem Zimmer ins nächste folgten und die ganze Zeit Stühle oder Nippes anfassten und verrückten.

Sie hatte Pakistani und Asiaten kennen gelernt, deren Kleider und Zimmer streng, wenn auch nicht unangenehm, nach Gewürzen und Öl und Schweiß rochen.

Der Grieche, der ihr die Zweizimmerwohnung direkt neben der U-Bahn-Station gezeigt hatte, hatte die ganze Zeit mit ihr geschrien, obwohl sie direkt neben ihm gestanden hatte. Er ging vor ihr her, ließ sich auf das Sofa im Wohnzimmer fallen und legte seine enorm großen Füße auf den kleinen Couchtisch, der bedenklich wackelte. Dann brüllte er ihr Informationen über das Zimmer und die Mietkosten entgegen, über die Stromabrechnung und die Hausordnung für Mieter, als stünde sie auf der anderen Straßenseite.

Zuerst war er Sarah unsympathisch gewesen. Sie hatte ihn für unhöflich gehalten und für einen ungehobelten Klotz, doch nach einer Weile hatte sie gemerkt, dass er einfach zu den brüllenden Zeitgenossen gehörte, die ewig herumpolterten, im Grunde aber ganz in Ordnung waren. Sie war fast so weit gewesen, dass sie die Wohnung genommen hätte, als die Haustür aufging und seine Frau und seine drei fast erwachsenen Kinder hereinmarschierten. Sie wohnten alle oben, erklärte er. Er stellte sie Sarah vor und zu ihrem Entsetzen bellten sie allesamt ein griechisches

Willkommen, während sie sie zur Begrüßung in den Arm nahmen. Mit fünf schreienden Griechen um sich herum hatte Sarah Angst, ihr Trommelfell würde gleich platzen. Ausgeschlossen, dass sie das auf Dauer aushalten würde, und so entschloss sie sich schweren Herzens die Wohnung doch nicht zu nehmen, obwohl der Preis in Ordnung war.

Schließlich hatte sie sich ein kleines möbliertes Zimmer in einem hohen Backsteinbau in der Nähe des Zentrums angeschaut. Die Anzeige dafür war klein und unauffällig gewesen, nur zwei Zeilen lang, und Sarah hätte sie fast übersehen. »Zimmer mit Kochgelegenheit und Toilette. Nähe Innenstadt, günstige Miete.« Dazu eine Londoner Telefonnummer. Kein Name.

Als sie anrief, läutete das Telefon ewige Zeiten, bevor jemand dranging, doch die Frau, mit der sie dann sprach, schien nett zu sein. Sarah vereinbarte mit ihr, dass sie sich das Zimmer am folgenden Nachmittag um vier Uhr anschauen würde. Die Frau beschrieb ihr den Weg ganz genau.

Es war fünf vor vier, als Sarah die Steintreppe zur Haustür hinaufging und klopfte. Eine zierliche Frau mit einem Baby auf dem Arm öffnete und stellte sich als Mrs. Afandi vor. Sie trug einen leuchtend rosafarbenen Sari. Die Pailletten, mit denen er bestickt war, glänzten und klimperten leise bei jedem Schritt. Mrs. Afandi führte Sarah drei Treppen hoch und schloss die Tür zu dem Zimmer auf.

Sie traten ein und Sarah schaute sich um.

Das Zimmer war klein und quadratisch und die Wände waren in einer Farbe gestrichen, die irgendwann einmal hellgelb gewesen war, sich inzwischen aber in ein fleckiges Grau verwandelt hatte. Gegenüber der Tür war ein Fenster, unter dem ein durchgesessenes Sofa mit einem Küchentisch davor stand.

»Gefällt dir das Zimmer?«, fragte Mrs. Afandi leise. Erwartungsvoll schaute sie Sarah mit großen braunen Augen an.

Sarah lächelte sie an. Sie schaute sich noch einmal in dem Zimmer um.

»Wo kann ich kochen?«, fragte sie und vermied dadurch eine direkte Antwort auf die Frage.

»Da drüben.«

Mrs. Afandi ging voraus zur anderen Seite des Zimmers, wo neben dem Fenster ein Wandschirm einen kleinen Küchenbereich mit Spüle und einem Zweiplattenkocher verbarg. Die Platten starrten vor angebackenem, schwarz verkohltem Dreck. Ein eingegangenes Fleißiges Lieschen, eine reglos auf dem Rücken liegende Schmeißfliege und eine verdorrte Geranie schmückten das Fensterbrett. Als Sarah einen der beiden Schränke öffnete, zuckte sie beim Anblick der Mäusekegel hinter einem pelzigen Marmeladenglas zurück, doch sie zwang sich ihren Stolz und ihre hohen Erwartungen hinunterzuschlucken. Wer nichts hat, kann nicht wählerisch sein, so hieß es doch, und wenn sie bei ihrer Wohnungssuche weiter so erfolgreich war wie bisher, hatte sie bald tatsächlich nichts mehr. Außerdem gibt es hier nichts, was sich nicht mit einer entsprechenden Menge Scheuerpulver und ein bisschen Armschmalz sauber kriegen lässt, sagte sie sich. Und ein paar billige Mausefallen würden ihr unwillkommene Gäste bald vom Leib halten.

Hinter ihr meldete sich Mrs. Afandi schüchtern: »Meine Söhne machen das alles sauber. Sie schrubben und waschen und wischen. Sie arbeiten gut, das Zimmer wird sein wie neu. Gefällt es dir? Du kannst alle Möbel benutzen.« Großzügig wies sie auf das durchgesessene Sofa, den klebrigen Küchentisch und das Bett an der Wand.

Sarah schaute sich noch einmal um, nickte vorsichtig und fragend. »Kann ich das Badezimmer sehen?«

Mrs. Afandi senkte entschuldigend den Blick. Sie schüttelte den Kopf. »Nein, nein. Kein Badezimmer – in der Anzeige stand nur Toilette. Dusche ist über dem Flur, ihr teilt sie euch zu viert. Toilette ist hier.«

Sie huschte zu einer schmalen Tür hinter der eigentlichen Zimmertür und öffnete sie. Dort gab es eine Toilette und ein winziges Handwaschbecken.

Wenigstens brauchte sie die Toilette mit niemandem zu teilen. Und eine Dusche zu viert war okay. Zu Hause hatte sie die Dusche schließlich mit sechs anderen geteilt.

Als Sarah Mrs. Afandi an diesem Nachmittag verließ, war sie glücklich. Sie hatte ein eigenes Zimmer mit Wasch- und Kochgelegenheit und eigenem Klo. Sie hatte mit Mrs. Afandi abgesprochen, dass deren Söhne den Küchenbereich und die Toilette wischen und schrubben würden. Sie wollten auch staubsaugen und die Fenster putzen und Mausefallen aufstellen – und sie würden, so versicherte Mrs. Afandi, die Fallen auch wieder leeren.

Das Zimmer sollte am nächsten Abend ab sechs Uhr bereitstehen und Sarah hatte Mrs. Afandi die Miete für sechs Wochen im Voraus bezahlt. In der Miete war der Strom für Licht und Herd enthalten und unten im Hausflur gab es ein Münztelefon. Um die Heizung musste sie sich selbst kümmern, aber im Zimmer stand ein Heizofen mit Münzzähler.

An diesem Abend lag Sarah in ihrem Hotelbett und starrte hinauf zu ihrem Fleck in dem Wissen, dass sie am nächsten Abend damit beschäftigt sein würde, ihr Hab und Gut in ihrer neuen kleinen Wohnung einzuräumen. Der schmierige Lüstling von Hotelbesitzer würde weit weg sein und sie konnte anfangen sich ihr eigenes Leben aufzubauen und selbst zu bestimmen, in welche Richtung es laufen sollte.

Obwohl sich Sarah riesig freute, war sie sich doch bewusst, dass es da irgendwo ein kleines Problem gab. Im Grunde zwei kleine Probleme.

Das erste war ein Geldproblem. Um die Miete im Voraus bezahlen zu können hatte sie Mrs.

Afandi fast alles gegeben, was sie noch besaß. Das stand so im Mietvertrag, doch jetzt reichte Sarahs Geld nur noch für wenige Tage, und selbst das nur, wenn sie äußerst genügsam lebte. Praktisch ohne einen Penny in der Tasche musste sie jetzt dringend und möglichst sofort irgendeine Art von Job finden. Wenn es fast eine Woche gedauert hatte, bis sie eine Bleibe gefunden hatte, konnte es genauso gut noch einmal eine Woche dauern, bis sie einen Job fand, und sie wusste, dass sie bei weitem nicht mehr genug Geld hatte um eine ganze Woche lang durchzuhalten. Das einzig Gute war, dass sie dem Hotelbesitzer nichts mehr schuldete, da sie für jede Nacht im Voraus bezahlt hatte. Er hatte auf dieser Regelung bestanden, aber so hatte sie jetzt wenigstens keine offenen Rechnungen mehr.

Sarah machte sich auch Sorgen um ihre Familie. Sie befürchtete, dass der ganze Stress das Magengeschwür ihres Vaters verschlimmert haben könnte, und sie sorgte sich um den kleinen Lee und um Clem. Sie hätte gern angerufen und mit ihnen geredet. Sie hätte ihnen gern gesagt, dass sie gesund war und es ihr gut ging, dass sie eine eigene Wohnung gefunden hatte, dass London eine Wahnsinnsstadt war und dass sie froh war hergekommen zu sein. Sie hätte gern von ihnen gehört, dass sie sie liebten und wüssten, dass sie letztlich die richtige Entscheidung für ihr Leben getroffen habe.

Doch Sarah war klar, dass sie nicht anrufen konnte. Sie wusste genau, dass ihre Familie halb verrückt sein würde vor Sorge und krank vor Angst um sie. Keiner zu Hause würde ihr glauben, dass es ihr gut ging. Sie würden ihr Geld und ein Flugticket schicken wollen. Sie würden herkommen und sie in den Schoß der Familie zurückholen wollen. Und eines wusste sie mit absoluter Sicherheit: Sie würden niemals sagen, sie habe die richtige Entscheidung für ihr Leben getroffen. Vielmehr würden sie sagen, dass das, was sie gerade tat, idiotisch sei und dumm und gefährlich.

Und das wollte Sarah nicht hören. Sie war nicht so weit, sich solche Dinge sagen zu lassen.

Die sechs Afandi-Kinder weckten Sarah regelmäßig morgens auf, wenn sie auf dem Weg zur Schule die Treppe hinunterpolterten. Ohne auf die Uhr schauen zu müssen wusste sie, es war zehn nach acht.

Jeden Morgen um zehn nach acht begleitete Mrs. Afandi ihre sechs wilden Kinder mit den runden Augen und den tiefschwarzen Haaren zur Schule. Sobald sie oben die Tür öffnete, polterten die Kinder aus ihrer Zweizimmerwohnung die vier Treppen hinunter auf die Straße, während Mrs. Afandi auf der obersten Stufe stand und sie anflehte langsam zu gehen und leise zu sein.

Sarah blieb dann noch ein wenig in ihrem schmalen Bett liegen, nachdem sie sich gereckt und verschlafen zu der Glühbirne hinaufgeschaut hatte, die an einer ausgefransten schwarzen Kordel in der Mitte der Decke hing. Wenn sie ganz genau hinschaute, sah sie, wie die Birne von den Vibrationen, die zwölf kleine Füße auf der Holztreppe verursachten, sacht hin und her schwang. Wenige Augenblicke später ging dann auch Mrs. Afandi mit ihrem siebten und jüngsten Kind hinunter auf die Straße, wo die anderen auf sie warteten.

Sarah gähnte dann, setzte sich auf und zwang

sich dazu, sich zur Arbeit fertig zu machen. Sie musste um zwanzig vor neun in dem Sandwichladen sein um die Bestellungen der Pendler aufzunehmen, die hier im Viertel arbeiteten und etwas zum Mittagessen haben wollten. Sie verließ das Haus immer so spät, dass Pünktlichkeit fast nicht drin lag, und sie wusste, dass Bakhtiar vergrätzt war, wenn sie zu spät kam, weil er dann alle Bestellungen selbst aufnehmen musste.

»Dabei könnte er das ganz gut allein machen«, grummelte Sarah vor sich hin, als sie auf der Toilette saß. So schwierig war der Job nun auch wieder nicht. Aber Bakhtiar war ein Morgenmuffel und hatte es nicht gern, wenn man seinen kleinen grauen Zellen vor halb elf morgens zu viel abverlangte.

Sie zog die Spülung, ging hinüber zu ihrem Herd und stellte Wasser zum Kochen auf. Dann bückte sie sich und überprüfte die Mausefalle im Schrank unter der Spüle.

»Verdammte kleine Biester«, murmelte sie.

Wieder waren Speck und Käse vom vorderen Teil der Falle verschwunden und wieder lag keine zerquetschte Maus, die Sarah mit glasigen Augen hätte anstarren sollen, unter dem Federbügel. Die Viecher waren zu schlau, als dass sie sich mit Fallen hätten fangen lassen.

In der ersten Woche hatte Sarah sechs Mäuse gefangen. Am Anfang hatte sie die beiden ältesten Söhne von Mrs. Afandi gebeten die Mausefallen zu überprüfen, sie wenn nötig zu leeren und für die nächste Nacht neu zu präparieren, doch nach ein paar Tagen hatte Sarah beschlossen sich eine neue Fertigkeit anzueignen und selber zu lernen, wie man Mausefallen stellt und leert – so eklig es auch war. Und sie beherrschte den Job bald perfekt, denn in den Tagen darauf fing sie vier Mäuse. Danach war für eine Weile Ruhe gewesen. Kein Trappeln von Füßen – außer denen der Afandi-Kinder – weckte Sarah mehr aus ihrem Schlummer. Die Schachtel mit Müsli und Trockenfrüchten im Vorratsschrank blieb unangetastet und keine verräterischen schwarzen Kegel waren mehr zu sehen. Sarah glaubte schon, sie hätte den Kampf gewonnen und die Eindringlinge aus ihrem Zimmer verbannt, doch die Zeit des Friedens dauerte nicht lang.

Die Mäuse kehrten zurück.

Oder richtiger: Eine neue Mäusefamilie zog ein.

Diese neue Familie war von einem ganz anderen Schlag. Das waren Mäuse, auf die man gefasst sein musste – Supermäuse. Es waren schlaue kleine Teufel, hartnäckig und unbesiegbar. Sie marschierten in der Nacht mit einer Selbstverständlichkeit durchs Zimmer, die Sarah an ihrem eigenen Wohnrecht zweifeln ließ. Sie verteilten Müsli, Brot und Reis im ganzen Schrank und platzierten ihre Kegel großzugig an Orten, von denen Sarah gedacht hätte, dass sie ganz und gar unzugänglich für Mäuse wären.

Doch am schlimmsten war, dass diese Mäuse es fertig brachten, Speck und Käse aus der Falle zu klauen ohne sie auszulösen. Das zu akzeptieren fiel Sarah schwer. Einmal hatte sie es sogar selber versucht. Sie hatte Gummihandschuhe angezogen zum Schutz und hatte mit Mals Schweizer Messer und einem Cocktailspieß versucht die Sachen aus der Falle zu nehmen, allerdings ohne Erfolg. Dreimal hatte sie es probiert und jedes Mal hatte sie die Falle ausgelöst. Einmal war sogar die Spitze des Gummihandschuhs unter den Bügel geraten, der mit beängstigender Wucht heruntersauste. Sarah hatte erschrocken aufgeschrien und es dann geschafft, ein Loch in den Handschuh zu reißen, als sie versuchte ihn herauszuziehen.

Sarah verstand nicht, wie es möglich war, dass es ihr, die eine Million mehr Gehirnzellen hatte als eine primitive Maus, nicht gelang, ein Stück Speck aus einer von Menschen erfundenen Maschine zu entfernen, während ein doofes, quiekendes kleines Fellbündel, das wahrscheinlich zusammen mit der Amöbe zu den niedrigsten Lebensformen überhaupt gehörte, die Falle austricksen konnte. Hier sind neue Strategien gefragt, sagte sich Sarah, während sie ihre Jeans anzog und sich die Haare bürstete. Vielleicht sollte ich doch Rattengift in Erwägung ziehen, überlegte sie, als sie ein paar Schluck Kaffee hinunterstürzte.

Oder größere Fallen mit Sägezahnbügel.

Oder eine Katze.

Sie schaute auf die Uhr, rannte die Treppe hinunter und zur Haustür hinaus. Genau halb neun. Zum Glück musste sie nicht mit dem Bus oder der U-Bahn fahren. Sie lief zur Hauptstraße hinauf, an dem Platz vorbei, wo Männer und Frauen bereits mit Aluminiumstangen hantierten um die Stände für den Markt aufzubauen, der etwas später am Vormittag dort stattfinden würde, bog bei dem Glockenturm ab, überquerte die Straße an der Ampel und war schon an der Ecke, an der Bakhtiars Deli und Sandwichladen lag.

»Du kommst zu spät«, waren Bakhtiars erste Worte, als Sarah keuchend in der Tür erschien.

»Nur zwei Minuten«, erwiderte sie, nachdem sie kurz auf die Uhr geschaut hatte. »Es ist noch nicht mal Viertel vor.«

Bakhtiar war gerade dabei, ein Wurstsandwich zu halbieren. Er hielt inne und warf Sarah einen kurzen Blick zu. Ernst schüttelte er den Kopf.

»Frech bist du auch noch. Zu frech für eine Angestellte.«

Sarah grinste ihn an und ging nach hinten um ihre Schürze anzuziehen und sich das lange Haar zurückzubinden. Es machte ihr Spaß, für Bakhtiar zu arbeiten. Gewöhnlich war er recht griesgrämig, hatte aber auch einen gewissen Sinn für Humor. Sie kamen gut miteinander zurecht.

Als sie zurückkam, standen zwei Stammkunden im Laden. Während sie deren Bestellung fürs Mittagessen aufnahm, verschwand Bakhtiar nach oben und Sarah wusste, dass er von dort erst nach zehn wieder auftauchen würde. Er verschwand immer in seine Wohnung, sobald sie da war. Er legte sich gern hin, las die Zeitung und hörte dabei CDs mit Wagner-Opern. Sarah machte das nichts aus. Im Gegenteil, sie hatte es lieber, wenn man sie allein ließ und sie in Ruhe richtig wach werden und ihre Gedanken für den Tag sortieren konnte. Gewöhnlich machte sie sich einen Kaffee und ein Sandwich zum Frühstück, aber erst, wenn die Stammkunden ihre Bestellungen fürs Mittagessen aufgegeben hatten.

Bis ungefähr halb zehn, wenn die meisten Leute angefangen hatten zu arbeiten, war in Bakhtiars Deli immer viel los. Sarah füllte Laufzettel aus, kassierte und gab Belege aus. Die Bestellungen wurden an ein Merkbrett aus Kork gepinnt, das an der Wand hing, und nach halb zehn fing Sarah an sie auszuführen – Brote zu buttern und die verschiedenen Beläge darauf zu verteilen, kleine Papierbehälter mit Pastete, gemischtem Salat oder Krautsalat zu füllen. Jede Bestellung kam in eine braune Papiertüte, an die oben der Laufzettel drangeknipst wurde. Die Tüte wurde dann auf ein großes Plastiktablett gestellt, das in den Kühlschrank wanderte. Bakhtiar kam ungefähr um halb elf wieder herunter, und während Sarah die Bestellungen ausführte, prüfte er die Kasse.

Der Umgang mit Geld war nicht unbedingt Bakhtiars starke Seite. Er fluchte jedes Mal und grantelte vor sich hin, wenn die Zahlen auf dem Papier nicht mit dem Geld in der Kasse übereinstimmten, was meistens der Fall war. Fast regelmäßig fehlten ein paar Zwanziger, mitunter sogar noch mehr. Manchmal bat er Sarah noch einmal nachzurechnen. Sie kam dann gewöhnlich auf dieselben Zahlen wie er, aber das Geld in der Kasse war beträchtlich weniger.

»Vielleicht beklaut Sie einer«, hatte sie bei einer solchen Gelegenheit einmal bemerkt.

»Wenn das so ist, bist du es, die mich beklaut«, hatte er sie angeraunzt, »du bist die Einzige, die an die Kasse kann.«

Danach sagte Sarah nichts mehr in dieser Richtung, doch an Bakhtiars Granteln hörte sie, dass die Kasse oft nicht stimmte.

Bestellungen, die vor halb zehn aufgegeben wurden, lieferte ein magerer junger Mann mit einem uralten schwarzen Bäckerfahrrad zwischen eins und zwei an die Büros in der Umgebung aus. Er balancierte das Plastiktablett zwischen dem Lenker und dem breiten Korb vorn und schwankte davon.

Um halb eins war dann wieder die Hölle los. Man konnte meinen, dass sämtliche Angestellten der Gegend, die es nicht geschafft hatten, ihre Bestellung am Morgen aufzugeben, auf einmal in dem kleinen Deli einfielen. Wenn keiner mehr reinging, reichte die Schlange oft bis auf die Straße. Der Ansturm dauerte ohne Unterbrechung bis halb drei, und während der ganzen Zeit halbierten, butterten, füllten, belegten, deckelten und verpackten Sarah und Bakhtiar in rasantem Tempo Hunderte von Sandwiches sowie runde und längliche Brötchen. Das Gute war, dass es im Geschäft keinen Platz zum Essen gab, so dass man kein Geschirr abräumen und keine Kaffeeflecken von den Tischen wischen musste. Alles war zum Mitnehmen, so dass der Umschlag schnell und effizient war.

Um halb drei sah der Laden aus, als sei er Schauplatz eines Bürgerkriegs gewesen. In der Spüle türmten sich Buttermesser, Vorlegelöffel, leere Teller und Schüsseln, überall lagen Brotkrümel und die Arbeitsfläche ebenso wie der Fußboden waren voller Mayonnaisekleckse, Tröpfchen von den Salatsoßen und Fleischbrocken. Der magere junge Mann mit dem Bäckerfahrrad kam zurück und Bakhtiar machte ihnen allen Salat und Sandwiches und Kaffee. Der Laden wurde geschlossen und sie verzogen sich ins Hinterzimmer, aßen, lasen Zeitung und hörten Radio.

Bakhtiar hatte Sarah den mageren jungen Mann nie vorgestellt und sie auch nicht dem jungen Mann. Das war für ihn unnötige Energieverschwendung, also blieb es den beiden überlassen, ob sie sich kennen lernen wollten oder nicht. Er kannte beide und das reichte ihm.

Zu Anfang traute sich Sarah nicht den jungen Mann anzusprechen und begrüßte ihn jeden Tag lediglich mit einem kurzen Nicken. Es war ein Schwarzer mit einem goldenen Ring in der Nase. Er bestand darauf, sein Bäckerfahrrad jeden Tag mit ins Hinterzimmer zu nehmen, wo sie alle saßen. In Sarahs Augen war das lächerlich. Die Ladentür war abgeschlossen, geklaut werden konnte es also nicht, wenn es im vorderen Raum stand, daher begriff sie nicht, weshalb er es um den Tresen herum bugsierte, durch den schmalen Flur und in das Zimmer, in dem sie sich aufhielten. Mit drei Leuten darin war das Zimmer sowieso schon voll, auch ohne dass noch ein klobiges Bäckerfahrrad an der Wand lehnte. Aber sie hielt es für besser, nichts dazu zu sagen, da sie ihn nicht kannte und Bakhtiar sich nicht dazu äußerte.

Der Austräger sagte auch nichts zu Sarah; er schien nicht einmal ihr tägliches Nicken zu registrieren. Das hatte sie anfangs ein bisschen gefuchst – er hätte sie zumindest willkommen heißen können bei dem Job –, doch nach einer Weile merkte sie, dass er zu niemandem etwas sagte, nicht einmal zu Bakhtiar oder den Kunden. Wortlos erschien er jeden Tag pünktlich um eins, holte das Tablett aus dem Kühlschrank, nahm die Auslieferungszettel vom Korkbrett und radelte davon ohne Hallo oder Auf Wiedersehen zu sagen. Er prüfte nie nach, ob alle Bestellungen ausgeführt worden waren und die entsprechenden Tüten auf dem Tablett standen. Wenn die Bestellung rechtzeitig auf dem Tablett war, wurde sie ausgeliefert. Kein Problem. Wenn nicht, blieb sie im Laden. Pech gehabt. Nachdem es Sarah zweimal passiert war, dass sie zwei Bestellungen oben auf den Kühlschrank gestellt hatte statt innen aufs Tablett und die Tüten am Nachmittag immer noch da gestanden hatten, achtete sie darauf, dass sämtliche Bestellungen bis zehn vor eins fertig gepackt im Kühlschrank standen, falls er sich mal hereinschlich und sich das Tablett schnappte, während sie mit einem Kunden beschäftigt war.

Nachdem sie zwei Wochen zusammen zu Mittag gegessen, Zeitung gelesen und mit einem Fahrrad in dem voll gestopften Hinterzimmer gesessen hatten, fand Sarah, es sei an der Zeit, diesen schweigsamen Menschen ein wenig besser kennen zu lernen. Auch nur seinen Namen zu wissen wäre schon eine Hilfe und würde ihm so was wie eine Identität verleihen. Vielleicht könnte sie über ihn noch andere Londoner kennen lernen außer Bakhtiar, Mrs. Afandi und ihren sieben Kindern. Sarah sehnte sich nach Gesellschaft und hatte es ausgesprochen satt, abends in ihrem kleinen Zimmer zu hocken. So hatte sie sich ihr neues Leben in der Metropole London nicht vorgestellt. Sie hatte sich jeden Tag bis spät in die Nacht hinein in Clubs und Bars feiern sehen, hatte in Gedanken freche Partykleidchen angehabt und an exotischen Drinks genippt. Allein in einem miesen, von Mäusen verseuchten Zimmer zu sitzen und nichts weiter zu tun zu haben als Mausefallen neu zu stellen, in Gedanken Briefe zu schreiben, die nie abgeschickt wurden, und ihre Kleider zu waschen – das war nicht das Leben, wie Sarah es sich vorgestellt hatte.

Also begann Sarah am nächsten Nachmittag, nachdem der junge Mann sein Rad an die Wand gelehnt und sich zum Essen hingesetzt hatte, eine Unterhaltung.

»Hallo«, fing sie an.

Der Bohnenstangen-Typ ignorierte sie und biss ein gewaltiges Stück von seinem Sandwich ab.

Bakhtiar schaute kurz auf. »Hallo«, antwortete er trocken und wandte sich wieder seiner Zeitung zu. Stille legte sich über den Raum, nur unterbrochen durch Kaugeräusche und das Umblättern von Seiten.

Sarah wurde rot und biss ebenfalls in ihr Sandwich. Sie kam sich blöd vor. So läuft das normalerweise nicht, dachte sie. Sie wartete eine Weile, bevor sie den nächsten Versuch unternahm.

»Ich heiße Sarah. Und du?«, fragte sie und beugte sich weit nach vorne um Blickkontakt mit dem Jungen aufnehmen zu können, der auf das orangefarbene Muster des Teppichs starrte. Langsam hob er den Blick und schaute sie nachdenklich an. Dabei kaute er lautlos. Sarah spürte, wie sie wieder rot wurde, zum einen aus Verlegenheit und zum anderen, weil sie diese merkwürdige Position eingenommen hatte, wo der Kopf weiter unten war als die Knie. Sie richtete sich auf und stellte erleichtert fest, dass sein Blick mitging – halb hatte sie erwartet, er würde weiter auf die Stelle starren, wo ihr Kopf gewesen war. Sie freute sich, wenigstens so viel Kontakt zu ihm hergestellt zu haben. Sein Gesichtsausdruck blieb aber unverändert und außer seinen braunen Augen bewegten sich nur noch die Kiefer.

»Flea.«

Sarah hatte nicht wirklich erwartet, dass er etwas sagen würde. Und das Wort gab ihr Rätsel auf.

War es sein Name?

Oder eine Begrüßung?

Oder sollte es irgendeine Meinungsäußerung sein?

Hieß es, sie solle gefälligst abzischen und sich um ihren eigenen Kram kümmern?

»Was hast du gesagt?«, hakte sie nach.

Im Gesichtsausdruck des Jungen änderte sich nichts. Er wiederholte lediglich das Wort: »Flea.«

Sarah nickte, als habe sie ihn verstanden. Sie durfte ihn jetzt nicht dadurch beleidigen, dass sie ihn nicht verstand, nachdem es ihr endlich gelungen war, mit ihm zu kommunizieren – auf welch seltsame Art auch immer. Sie lächelte aufmunternd.

»Alles klar«, sagte sie, auch wenn ihr überhaupt nichts klar war. Sie machte eine Pause und überlegte ihren nächsten Zug. Jeder weitere Kommentar, den sie machte, musste so wirken, als wisse sie ungefähr, wovon die Rede war, auch wenn sie nicht die geringste Ahnung hatte. Der Junge, der sie da kauend anschaute, war jedenfalls keine Hilfe, das stand fest.

»Sonst noch was?«, erkundigte sie sich hoffnungsvoll.

Er schluckte den Bissen hinunter.

»Wozu willst du auch noch meine andern Namen wissen?«, fragte er.

Sarah verstand plötzlich und schüttelte abwehrend den Kopf. »Will ich ja gar nicht. Flea ist total in Ordnung. Ein Name genügt vollkommen. Super. Hallo, Flea.«

Sie stieß einen langen Seufzer aus. Sie kannte sich wieder aus. Es ging immer noch um Namen. Er hatte auf die Frage, die sie gestellt hatte, geantwortet. Anscheinend legt er keinen Wert auf eine gepflegte Unterhaltung, überlegte Sarah beim Weiteressen. Aber es war ein Anfang.

Seit sie Fleas Namen kannte, war er etwas lockerer in ihrer Gegenwart, und wenn er am Vormittag hereinkam, grüßte er sie des Öfteren mit einem Grunzen. Nach der Arbeit begleitete er sie manchmal bis zum Marktplatz, wo sich ihre Wege dann trennten.

Für Sarahs Gefühl führte Flea ein tolles Leben. Er war ein echter Partylöwe und feierte oft bis fünf oder sechs Uhr morgens, fuhr dann mit dem Nachtbus heim um sich vor der Arbeit noch für ein paar Stunden aufs Ohr zu legen. Wenn er tagsüber nur auf Sparflamme funktionierte, lag das oft an seinem schweren Kater. Immerhin wusste Sarah jetzt, was sie davon zu halten hatte, wenn er wieder mal aussah wie durch den Wolf gedreht – er hatte dann eine wilde Nacht hinter sich.

Die Partys reizten Sarah. Sie klangen aufregend und sie lag ihm in den Ohren, er solle sie einmal mitnehmen.

»Sie sind nicht für jemand wie dich«, wich er aus.

Sie waren auf dem Nachhauseweg. Sarah blieb stehen. Das musste er ihr genauer erklären.

»Was meinst du mit ›jemand wie ich‹?«, fragte sie. »Was für ein Jemand bin ich denn?«

Flea trat gegen die Bordsteinkante. »Da geht 'ne Menge ab. Ich weiß nicht, ob du ...« Er ließ das Ende des Satzes in der Luft hängen.

»Nur zu, sag es. Spuck's aus. Was wolltest du sagen – was geht da ab?« Langsam ging er ihr mit seinen ausweichenden Antworten auf die Nerven.

»Du bist noch ziemlich jung, Sarah. Und diese Partys ...«

»Ich bin genauso alt wie du, Flea.«

Flea ruckelte am Vorderlicht seines Fahrrads und machte sich bereit zum Heimradeln. Er schüttelte den Kopf. »Ich meine nicht die Jahre. Da hast du Recht, was das angeht, bin ich genauso alt wie du. Aber als Mensch bin ich, glaube ich, älter als du.«

»Was soll der Quatsch?« Sarah war wütend. »Schließlich lebe ich allein, verdiene mein Geld selber, arbeite den ganzen Tag ... Was soll ich denn noch?«

Aber sie hätte sich ihre Worte sparen können. Flea war davongefahren, im Halbdunkel des Abends verschwunden und ließ Sarah entrüstet mitten auf dem leeren Marktplatz stehen.

Und so ging sie wieder mal mit einem Abendessen von McDonald's nach Hause in ihr leeres Zimmer, legte sich aufs Bett und hörte zu, wie die Afandi-Kinder oben sich darum kabbelten, welchen Sender sie sehen wollten. Sie dachte an ihre eigene Familie daheim und fragte sich, ob die wohl auch gerade vor dem Fernseher saßen und sich stritten. Sie bezweifelte es. Lee, Alice und ihre Mutter waren die Fernsehsüchtigen in der Familie. Doch weil die Programme, die sie am liebsten mochten, alle zu unterschiedlichen Zeiten liefen, kamen sie sich kaum ins Gehege. Lee liebte die Kindersendungen am frühen Nachmittag, wenn er von der Schule nach Hause kam, und nahm seine kleine Zwischenmahlzeit aus Käse und Kräckern mit auf den Couchtisch vor den Fernseher, wo er die Fernbedienung ganz für sich allein hatte und ihn keiner störte.

Sarahs Mutter war ganz wild auf die amerikanischen Talkshows, die im Kabelfernsehen liefen. Sie hielt Oprah Winfrey für absolut super und ließ abends beim Kochen immer die Küchentür weit offen, so dass sie, wenn irgendwas Spannendes kam, ins Wohnzimmer spurten und es sich anschauen konnte. Dann wischte sie sich die Hände an der Schürze ab, hockte sich auf die Sofalehne und schaute zu.

Alice wiederum sah am liebsten australische Serien wie ›Home and Away‹ und ›Neighbours‹ und wurde stinksauer, wenn sie eine Folge dieser Seifenopern verpasste.

Sarah lächelte vor sich hin, während sie an daheim dachte. Vielleicht würde sie ihnen schreiben und erzählen, was sie so machte. Sie runzelte die Stirn. Nein, schreiben war keine gute Idee. Ein Brief trug den Poststempel und sie könnten herausfinden, wo sie sich aufhielt. Telefonieren war sicherer, da hatte Sarah alles in der Hand. Sie konnte entscheiden, wann sie auflegte, wann sie das Gespräch abbrach, falls sie ihr zu sehr zusetzten. Sie konnte eine gute Zeit zum Telefonieren aussuchen, wenn sie alle zu Hause waren und sie selbst nicht mit einer Unterbrechung rechnen musste. Ja, telefonieren war das Beste. Vielleicht würde sie bald mal anrufen. Vielleicht würde sie ihnen von ihrem neuen Job erzählen und der Wohnung, von Flea und Bakhtiar.

Am nächsten Vormittag kam Flea wie üblich in den Laden um sein Tablett mit den Essenstüten abzuholen. Sarah ignorierte ihn und schnitt weiter Paprika klein. Sie hatte seine Bemerkung vom vergangenen Abend noch nicht vergessen.

»Hallo, Sarah«, begrüßte er sie.

Sie beachtete ihn nicht. Wofür hielt er sich eigentlich – kam hier bester Laune und freundlich reingeschneit und dabei hatte er ihr erst am Abend zuvor gesagt, dass Partys für jemanden wie sie nichts seien.

Flea schien die Abfuhr überhaupt nicht mitgekriegt zu haben und redete weiter: »Ich gehe nächsten Freitag zu einer Party. Sie steigt in den Hallen. Willst du mitkommen?«

Sarah hörte auf ihre Paprika zu schnippeln und schaute ihn misstrauisch an. »Ist diese Party eher was für mich als deine üblichen?«, erkundigte sie sich.

Flea ging zum Kühlschrank und holte das Tablett heraus.

»Das kannst du selber rausfinden.«

Der Regen trommelte auf die Kapuze seines Anoraks, als Lee die Straße hinauf nach Hause marschierte. Seine Schuhe quietschten und er trat ganz bewusst in die Pfützen am Straßenrand. Das Wasser drang über den Schuhen in seine Socken, aber das kümmerte ihn nicht.

Es regnete schon den ganzen Tag und nach Schulschluss hatte Lee am Schultor darauf gewartet, dass seine Mutter ihn abholen käme. Seit Sarah weg war, wollte seine Mutter nicht mehr, dass er nach der Schule zu Seán ging. Seáns Mutter fragte jedes Mal, ob sie etwas von Sarah gehört hätten, und Lee musste das immer verneinen. Aber Mrs. Bailey arbeitete seither nur noch halbtags und hatte darum normalerweise Zeit, ihn von der Schule abzuholen, wenn das Wetter wirklich schlecht war.

An diesem Tag *war* das Wetter wirklich schlecht, ein kalter, grauer Regen fiel schwer vom Himmel, und trotzdem holte sie ihn nicht ab. Er wartete eine Ewigkeit am Schultor, bis die Wagen der meisten anderen Eltern weggefahren waren. Seáns Mutter bot ihm an ihn nach Hause zu bringen, aber Lee lehnte ab. Er hatte Angst, dadurch seine Mutter zu verpassen, falls sie doch noch auftauchte.

Aber das tat sie nicht, und nachdem er über

eine halbe Stunde lang allein herumgestanden hatte, beschloss Lee nach Hause zu laufen.

Während er die Straße entlangging, schaute er durch den Regen auf das Haus seiner Familie. Der Regen lief an seinem Pony hinunter und tropfte ihm in die Augen. Er sah alles verschwommen und musste den Blick wieder senken. Er trat vom Gehweg auf die Straße und ging im Rinnstein weiter. Dabei beobachtete er, wie das Regenwasser über seine Schuhe schoss und gegen die grauen Socken spülte, die zu seiner Schuluniform gehörten. Lee blieb stehen und stellte sich seitlich hin, so dass seine Füße einen Damm bildeten, vor dem das Wasser sich staute und anschwoll, bis es die Schuhe überspülte und weiterrauschte. Er verzog das Gesicht, denn das Wasser an seinen Knöcheln war unerwartet kalt. Er trat auf den Grasstreifen und schüttelte das meiste Wasser aus seinen Schuhen. An ihrem Gartentor bog er ab, ging zur Haustür und öffnete sie mit dem Schlüssel, der an einem Band hing, das innen in seiner Hosentasche festgesteckt war.

Lee hörte Stimmen im Wohnzimmer und ging hinein um zu sehen, wer da war. Seine Mutter hockte auf der Kante ihres Sessels neben dem leeren Kamin und sprach mit zwei Leuten, die mit dem Rücken zur Tür auf dem Sofa saßen. Auf dem kleinen Couchtisch dazwischen stand ein Tablett mit Tee und einem Teller Keksen.

»Hallo, Liebes«, begrüßte ihn seine Mutter sofort und streckte ihm die Arme entgegen. Lee sah sie prüfend an, als er zu ihr hinüberging. Sie hatte rot geränderte Augen und schien ziemlich aus der Fassung zu sein.

»Ist alles okay?«, fragte er und schaute strafend zu den beiden Fremden hinüber, die offensichtlich schuld an dem Zustand seiner Mutter waren.

»Ja, wunderbar«, versicherte sie ihm, aber sie sah überhaupt nicht wunderbar aus. Und sie klang auch nicht wunderbar. Ihre Stimme wirkte verweint und sie sprach sehr leise. Lee schaute die Fremden mit gerunzelter Stirn an. Eine der Frauen lächelte und stellte sich als Mary vor. Die andere sagte nichts. Sie hatte ein Klemmbrett auf dem Schoß und nickte Lee nur wortlos zu.

Als seine Mutter seinen nassen Anorak bemerkte, sagte sie: »Lee, du bist ja völlig durchnässt. Lauf doch mal eben in die Küche und häng deinen Anorak zum Trocknen auf, ja, Liebes? Und dann springst du nach oben und ziehst dich um. Ich bin hier bald fertig.«

Lee war immer misstrauisch, wenn seine Mutter ihm sagte, er solle *doch mal eben* irgendwohin *laufen* oder gar *springen*. Das tat sie nur dann, wenn sie nervös war oder nett zu sein versuchte, obwohl ihr hundeelend war. Ohne ein weiteres Wort *sprang* er hinaus und *lief* dann *mal eben* in die Küche.

Das Frühstücksgeschirr stapelte sich noch schmutzig in der Spüle. Er ließ seine Schultasche neben dem Kühlschrank fallen und kickte die durchgeweichten Schuhe von den Füßen.

Dann fasste er an den Heizkörper, aber der war kalt. Also hängte er seinen tropfnassen Anorak über eine Stuhllehne. Er betrachtete ihn einen Moment und legte dann einen Teil der Zeitung vom Vortag darunter um die Tropfen aufzufangen. Er ging nach oben, doch auf halbem Weg läutete das Telefon. Also rannte er wieder nach unten und hob ab.

»Hallo?«

»Hallo, Lee. Bist du schon lang zu Hause?«

»Hi, Dad. Nein, gerade erst gekommen.«

»Und was macht deine Mutter?«

Lee fror und hatte schlechte Laune, weil er bei strömendem Regen von der Schule hatte heimlaufen müssen. Und jetzt wollte sein Vater bloß wissen, was seine Mutter machte. Was Lee machte, interessierte ihn überhaupt nicht. Er fragte auch nicht, wie es ihm heute in der Schule ergangen war. Oder ob er gut nach Hause gekommen war.

»Mum hat Besuch. Sie hat mich nicht abgeholt. Ich hab gewartet und gewartet, aber sie ist nicht gekommen. Ich bin dann allein heimgegangen und jetzt hab ich ganz nasse Füße. Sie hat bloß gesagt, ich soll in die Küche gehen und warten. Jetzt krieg ich wahrscheinlich eine Lungenentzündung und sterbe.«

Sein Vater war nicht sonderlich mitfühlend, was Lees schlechte Laune noch steigerte.

»Ach komm, du bist doch kein Baby mehr. Du kannst sehr gut allein nach Hause gehen. Spring nach oben und nimm ein heißes Bad, dann bist du in null Komma nichts wieder fit. Und frag deine Mutter, ob sie mal eben zum Telefon kommen kann, ja?«

Spring nach oben. Ob sie mal eben. Sie redeten alle so. Etwas war ganz entschieden nicht in Ordnung.

Lee streckte den Kopf durch die Wohnzimmertür. »Dad ist am Telefon«, verkündete er ohne sich vorher zu vergewissern, ob nicht gerade geredet wurde. »Er will dich sprechen.«

Als seine Mutter zum Telefon ging, verzog sich Lee rasch nach oben. Er wusste, dass er vor Fremden unhöflich gewesen war, und so verkrümelte er sich lieber, damit er nicht ausgeschimpft werden konnte. Er ging ins Bad und ließ heißes Wasser einlaufen. Er holte ein frisches Handtuch aus dem Wäscheschrank und seinen Morgenmantel aus seinem Zimmer. Als er über den Flur zum Bad zurückging, hörte er seine Mutter am Telefon reden.

»... Sozialarbeiterinnen, die wissen wollen, ob hier alles in Ordnung war, bevor Sarah ging ... tausend Fragen, den ganzen Nachmittag ...«

Lee blieb stehen und beugte sich über das Geländer. Jetzt sagte wohl sein Vater etwas, denn die Mutter schwieg. Dann begann sie wieder.

»... es ist schrecklich gewesen. Und was die alles wissen wollen ...«

Sie brach ab und es hörte sich an, als weinte sie. Lee hatte ein schlechtes Gewissen, weil er lauschte, also ging er ins Bad und schloss die

Tür. Ihm war ganz elend, wenn er an seine Mutter dachte, die wegen der beiden Fremden so aus der Fassung war, und er bekam eine Gänsehaut, als er seine feuchte Schuluniform auszog.

Bis er fertig war mit Baden und seinen warmen Trainingsanzug anhatte, war seine Mutter wieder im Wohnzimmer. Als er auf dem Weg zur Küche daran vorbeiging, rief sie ihn.

»Lee?«

Er zögerte. Am liebsten wäre er gar nicht mehr reingegangen. Vielleicht würde sie doch noch mit ihm schimpfen, weil er unhöflich gewesen war, und vor den beiden fremden Frauen wäre ihm das entsetzlich peinlich gewesen.

»Lee?«

Er konnte nicht entwischen. Lee seufzte und ging mit gesenktem Kopf ins Wohnzimmer. Die Fremden waren immer noch da und saßen stumm auf dem Sofa, während seine Mutter mit ihm redete.

»Dein Vater kommt heute etwas früher heim«, sagte sie. »Bist du so lieb und räumst die Küche ein bisschen auf, bevor er kommt? Du bist ein Schatz.«

Lee konnte sein Glück kaum fassen. Er wurde nicht ausgeschimpft und seine Mutter hatte sogar gesagt, er sei ein Schatz. Wie war das wohl zu erklären?

Bis sein Vater nach Hause kam, hatte Lee die Spülmaschine eingeräumt und saß am Küchentisch und machte seine Hausaufgaben.

»Warum hast du Clems Anorak an?«, wollte sein Vater als Erstes wissen.

»Weil meiner nass ist«, antwortete Lee und kaute dabei auf dem Bleistiftende herum.

»Du kriegst noch mal eine Bleivergiftung«, warnte sein Vater.

»Von Clems Anorak?« Das wunderte Lee nun doch. Er hatte immer gedacht, Clem habe genau so einen Anorak wie er.

»Vom Bleistiftkauen«, erklärte sein Vater und zeigte auf die Holzsplitter, die Lee auf sein Heft gespuckt hatte. »Aber warum hast du überhaupt einen Anorak an?«

»Weil es hier drin eiskalt ist und ich nicht weiß, wie man die Zentralheizung anstellt.« Lee schob die Holzsplitter zu einem kleinen Häufchen zusammen. Er rieb sich die Nase, die immer noch kalt war, und machte aus dem Splitterhäufchen einen richtigen Scheiterhaufen.

»Warum hast du dann nicht den Gasofen angemacht?«

Lee schaute seinen Vater entrüstet an. »Hast du vergessen, dass ich ihn nicht anrühren darf? Du hast selber gesagt, ich soll die Finger davon lassen, weil ich sonst womöglich das Haus anstecke. Und Mum wollte ich nicht stören.«

»Okay, okay, du hast gewonnen«, meinte sein Vater. »Ich zünd ihn jetzt für dich an.«

Im selben Augenblick kam Lees Mutter aus dem Wohnzimmer. Als sie ihren Mann sah, traten ihr Tränen in die Augen und sie nahm ihn fest in den Arm.

»Oh, Mann!« Lee beugte sich schnell wieder über seine Aufgaben. »Ich kann's nicht sehen, wenn die sich so abknutschen.«

Die Eltern verschwanden im Esszimmer um kurz unter vier Augen miteinander zu reden, bevor die Mutter wieder ins Wohnzimmer ging. Der Vater kam rasch noch einmal in die Küche und zündete den Gasherd an.

»Lee, ich setze mich kurz zu unserem Besuch ins Wohnzimmer«, erklärte er. »Sie wollen ein bisschen über Sarah reden. Kann ich dich hier allein lassen?«

»Natürlich kannst du. Wann kommt Clem heim?«

Sein Vater war schon halb im Wohnzimmer und rief die Antwort über den Flur: »Keine Ahnung – wann immer ihm danach ist.«

Der Zufall wollte es, dass Clem an diesem Tag erst weit nach Lees Schlafenszeit aus dem College kam. Er hatte sich in der Bibliothek noch ein paar Notizen gemacht und dann in der Studentenkneipe noch zwei Bier getrunken, bevor er sich auf den Heimweg machte.

Es hatte endlich aufgehört zu regnen und er radelte durch die nassen Straßen, wobei die Reifen auf dem Asphalt ein zischendes Geräusch machten. Es war nach elf Uhr und auf den Straßen war es ruhig. Das Licht der Straßenlaternen spiegelte sich in den Pfützen und die Luft war wie frisch gewaschen.

Zum x-ten Mal an diesem Tag dachte Clem an Sarah, fragte sich, wo sie wohl war und was sie gerade tat. Er hatte keine Ahnung, wohin sie gegangen sein könnte, konnte sich nicht mal vorstellen, warum sie weggewollt hatte. Manchmal hatte sie diese verrückten Ideen von einer anderen Art Leben gehabt. Clem wusste zwar, dass solche Ideen wichtig für sie waren, verstand aber nicht, weshalb.

Dass sie so überraschend von zu Hause weggegangen war, hatte die ganze Familie durcheinander gebracht. Die Eltern hatten sofort nach ihrem Verschwinden die Polizei informiert, damit die vielleicht in Erfahrung bringen konnte, ob es Sarah gut ginge oder ob ihr irgendwas Schreckliches zugestoßen war. Damals hatten sie alle ein paar alptraumhafte Tage erlebt, als die Polizei aufgekreuzt war und die gesamte Familie befragt hatte. Sie hatten genau wissen wollen, wie Sarah mit jedem Einzelnen zurechtgekommen war.

Clem hatte die Wut gekriegt.

»Sie sind hier, weil sie uns helfen sollen Sarah zu finden, und nicht um uns zu verhören. Mein Gott, schließlich waren *wir* es, die Vermisstenanzeige erstattet haben – da werden wir sie wohl kaum abgemurkst und die Leiche im Garten vergraben haben!«, machte er seinem Ärger Luft.

»Wahrscheinlich müssen sie jede Möglichkeit überprüfen«, meinte Alice bemerkenswert einsichtig. »Vielleicht vertuschen wir ja irgendwas ganz und gar Abscheuliches – sie müssen einfach sichergehen.«

»Klar, wir sehen ja auch aus wie Leute, die zu Mord und Totschlag fähig sind«, erwiderte Clem sarkastisch. »Sie brauchen sich nur unser kilometerlanges Vorstrafenregister anzuschauen.«

Die Polizei wollte wissen, ob Sarah sich irgendjemandem aus der Familie anvertraut und über ihre Pläne gesprochen hätte, ob sie erwähnt hätte, dass sie unglücklich sei. Der für den Fall verantwortliche Wachtmeister hatte sie alle nacheinander über Sarahs letzte Schritte befragt, wollte wissen, ob sie Streit gehabt habe mit jemandem aus der Familie, ob sie gerade mit einem Freund Schluss gemacht habe oder von der Schule geflogen sei. Ob sie sich aus jüngster Zeit an irgendetwas erinnern könnten, das Sarah derart aus der Fassung gebracht oder traumatisiert haben könnte, dass sie das Gefühl gehabt hätte, es keine Minute länger zu Hause auszuhalten. Dann hatte er die einzelnen Berichte miteinander verglichen und diejenigen noch einmal befragt, deren Geschichte sich nicht mit der der anderen deckte.

Sie waren alle mit den Nerven am Ende gewesen aus lauter Angst, sie könnten irgendeine winzige Kleinigkeit vergessen, was den Anschein erwecken würde, dass sie logen oder etwas zu verheimlichen suchten. Clem konnte die meisten Informationen liefern, da er Sarah am nächsten stand, doch auch er hatte wenig zu sagen, was eine konkrete Hilfe bei den Nachforschungen gewesen wäre.

Die Polizei hatte die Befragung auf Lehrer und Schulfreunde ausgedehnt sowie auf Freunde aus der Nachbarschaft und die weitere Familie. An diesem Punkt hatte Mr. Bailey etwas gereizt reagiert und gefunden, dass ihre Fragerei weit über das übliche Maß hinausginge.

»Nein, ganz und gar nicht«, hatte der Kommissar ihnen versichert. »Das sind lediglich Routinefragen, die wir in solchen Fällen immer stellen. Wir müssen ganz sicher sein, dass Sarah in ihrem Zuhause nicht unglücklich oder isoliert war, dass sie keinen triftigen Grund hatte wegzulaufen.«

Der erste Durchbruch kam, als die Polizei Karen befragte. Sie hatten sich systematisch durch die Klasse gearbeitet und nacheinander mit sämtlichen Klassenkameradinnen von Sarah gesprochen. Karen kam am zweiten Tag der Befragungen an die Reihe. Nervös klopfte sie an die Tür zu dem Büro, das die Schule der Polizei zur Verfügung gestellt hatte.

»Herein«, rief die Polizistin von drinnen.

Karen ging hinein und lächelte zaghaft. Sie war davon überzeugt, die Polizei wüsste, dass sie bei ihr an der richtigen Adresse war. Sie hatte das Gefühl, auf ihrer Stirn prange ein großes Schild mir der Aufschrift »schuldig«. Sie schwitzte an den Händen und ihr Herz raste, aber noch sagte sie nichts.

»Hallo«, begann die Polizistin. »Und wie heißt du?«

»Karen ... Karen Vaugham.«

»Gut. Bitte setz dich, Karen.«

Die Polizistin schaute in ihre Namensliste und machte bei Karen ein Häkchen.

»Hier steht, dass du mit Sarah gut befreundet bist«, begann sie und schaute Karen an.

»Mmm«, machte Karen vorsichtig. Sie traute ihrer Stimme nicht.

»Hast du denn irgendeine Ahnung, wo deine Freundin hingegangen sein könnte?«

Karen hielt es nicht mehr aus. Früher oder später würden sie die Wahrheit sowieso herausfinden. Oder darauf bestehen, dass sie einen Test mit dem Lügendetektor machte, bei dem sie garantiert durchfallen würde. Es hatte keinen Zweck, etwas zu verheimlichen.

»Ja, hab ich«, sprudelte Karen sofort los und war selbst überrascht über ihre plötzliche Bereitschaft, alles auszuplaudern. »Ich hab ihr geholfen wegzulaufen.« Eine Karriere als Spionin kann ich mir wohl abschminken, dachte sie.

Dann kam alles heraus. Karen fühlte sich schuldig und war ganz außer sich, als sie einsehen musste, dass sie ihre Freundin möglicherweise in Gefahr gebracht hatte, indem sie ihr beim Abhauen geholfen hatte.

Selbstverständlich nahm man mit Christy Kontakt auf, der an eben diesem Morgen von seinem Trip nach England zurückgekommen war. Er staunte nicht schlecht über das, was er da hörte, und gab an, er habe keine Ahnung gehabt, dass Sarah von zu Hause weggelaufen sei und ihre Eltern nichts von all dem gewusst hätten.

»Aber sie ist doch über sechzehn, oder?«, meinte er. »Da kann sie doch von zu Hause weg, wenn sie das will.«

»Vor dem Gesetz ist sie immer noch ein Kind, Sir«, erwiderte der Wachtmeister. »Darum haben die Eltern noch die volle Verantwortung für ihr Wohlergehen und ihre Sicherheit. Diese Aufgabe haben Sie ihnen durch Ihr Verhalten nicht gerade leichter gemacht. Wir müssen zweifelsfrei sagen können, dass Sarah aus freien Stücken wegging und nicht, weil sie zu hart behandelt oder vernachlässigt wurde.«

»Sie wollte weg, das steht eindeutig fest«, versicherte Christy. »Konnte es kaum abwarten, ihr neues Leben anzufangen. Ich wünsch ihr viel Glück dabei. Sie war ein nettes Mädchen. Ich hoffe nur, dass sie auf sich aufzupassen weiß.«

»Genau darum geht es uns, Sir.«

Christy konnte ihnen nur sagen, dass er Sarah bis Birmingham mitgenommen hatte und dass sie von dort aus mit dem Zug nach London wollte. Was sie danach gemacht hatte, wusste er nicht.

Als Clem, Wochen später, am Abend im Schuppen hinten im Garten sein Fahrrad abschloss, schaute er zum Haus hinauf. Die Lichter unten waren aus, also waren alle im Bett.

Er ging durch die Hintertür ins Haus und schloss hinter sich ab. Ohne in der Küche Licht zu machen warf er seine Jacke einfach auf den

Tisch. Er wollte gerade nach oben gehen, als ein leises Geräusch aus dem Wohnzimmer ihn aufhielt.

Die Wohnzimmertür war zu. Kein Licht kam drunter durch. Clem durchfuhr es eiskalt. Er lauschte konzentriert, versuchte herauszubekommen, was es war.

Da war es wieder. Eine Art Klimpern. Jemand war da drin.

Clems Herz begann heftig zu pochen. Seine Handfläche auf dem Pfosten des Treppengeländers war augenblicklich schweißnass. Ein Einbrecher? Die Uhr hinter ihm schlug Viertel nach zwölf. Das unerwartete Geräusch ließ ihn zusammenfahren. Selbst seine Haarwurzeln reagierten auf den Schreck und ihm klingelten die Ohren, so laut kam ihm das Schlagen der Uhr vor.

Clem holte tief Luft, schlich zur Tür und legte vorsichtig die Hand auf die Klinke. Langsam drückte er sie nach unten, dann stieß er die Tür mit einer einzigen Bewegung auf und trat ins Zimmer.

Die Vorhänge waren nicht zugezogen, so dass man auf die Straße sehen konnte. Das Zimmer war dunkel, schwach erleuchtet nur vom orangefarbenen Schimmer der Straßenlaterne. Clems Blick huschte durch den Raum, streifte den Videorecorder, die Stereoanlage, das geschlossene Fenster. Nichts war gestohlen, es gab kein offensichtliches Zeichen eines gewaltsamen Eindringens.

Schließlich blieb sein Blick auf einer Gestalt im Sessel hängen. Sie rührte sich nicht, hatte Clems heimliches Eintreten offenbar nicht bemerkt. Die Person im Sessel beugte sich vor, den Kopf gesenkt und in die Hände gestützt, die Ellbogen auf den Knien. Ein halb volles Whiskeyglas glitzerte auf dem Tischchen neben dem Sessel – das Eis darin musste leise gegen das Glas geklimpert sein.

Es war Clems Vater.

»Dad . . . ist alles in Ordnung?«

Mr. Bailey riss erschrocken den Kopf hoch und schaute Clem, der immer noch in der Tür stand, verwirrt an.

»Du kommst spät heim, Junge«, sagte Mr. Bailey.

»Was machst du noch hier? Ich dachte, ihr wärt alle längst im Bett«, erwiderte Clem, zog sich einen Stuhl heran und setzte sich im Dämmerlicht zu seinem Vater.

»Wir haben einen ziemlich harten Abend hinter uns«, erklärte der. »Ich dachte, ich genehmige mir noch ein Gläschen zum Entspannen, bevor ich nach oben gehe.«

»Gibt's was Neues von Sarah?« Clem wusste sofort, dass sich die Worte seines Vaters nur darauf beziehen konnten.

»Ach«, meinte der, »den ganzen Nachmittag haben diese verdammten Sozialarbeiterinnen hier rumgesessen und deine Mutter und mich ausgefragt über unser Familienleben und über Sarah und wie wir sie behandelt haben. Anscheinend hat sich ein Lehrer aus ihrer Schule Sorgen um sie gemacht, weil sie ihm – wie haben sie sich ausgedrückt? – bedrückt oder unterdrückt oder erdrückt vorkam. Deshalb und weil sie weggelaufen ist, sind sie jetzt total aus dem Häuschen und wollen rausfinden, ob wir nicht doch zu streng mit ihr waren.«

Clem holte tief Luft und verdrehte die Augen. »Das darf doch wohl nicht wahr sein!«, rief er. »Haben sie denn nichts Besseres zu tun als euch auszuquetschen?«

Mr. Bailey lächelte müde. »Sie machen doch nur ihren Job, Clem. Aber deine Mutter haben sie ganz schön aus der Fassung gebracht, das kannst du mir glauben. Andererseits wären wir noch wütender auf sie, wenn wirklich irgendwo ein Missbrauch vorläge und sie sich nicht darum kümmern würden.«

Er trank sein Glas leer und stand auf. »Aber lass uns jetzt ins Bett gehen, ja? Wir müssen beide zur Arbeit morgen.«

Sarah hockte etwas abseits von der Tanzfläche mit Schlagseite in einer Ecke und schaute sich um. Ihr war schwindelig. Aus dem Lautsprecher über ihr dröhnte die Musik, ein wildes Hämmern. Der Fußboden bebte vom Lärm und den stampfenden Füßen.

Es war super.

Sie verstand überhaupt nicht, was Flea gemeint hatte mit seiner Andeutung, das sei nichts für sie. Sie war total begeistert, und das schon von Anfang an.

Alle hier waren super, echt freundlich, und sie amüsierte sich gut. Die Musik war super. Die Getränke waren super. Die ganze Atmosphäre war super. Vor allem die Leute waren echt super. Sie tanzten stundenlang ununterbrochen. So lang hielt Sarah unmöglich durch, sie musste zwischendurch immer mal wieder eine Pause einlegen.

Von ihrem Platz am Boden aus beobachtete sie die Tänzer, wie sie sich zu fiebrigen Rhythmen verrenkten, sich miteinander wanden und ihre Glieder ineinander verschränkten und wieder lösten. Andere sprangen in die Luft, ganz auf ihre eigenen Bewegungen konzentriert. Sie zuckten mit den Armen und ruckten mit dem Kopf, hüpften mit geschlossenen Augen auf und ab, stießen gegen knutschende Pärchen und taumelten herum.

Sarah grinste. Sie genoss das unentwegte Hämmern der Bässe in den Ohren und in der Brust. Der Rhythmus war ein kleines bisschen schneller als ihr Puls und machte sie richtig high. Der halb leere Plastikbecher glitt ihr langsam aus der Hand und kullerte auf den schmutzigen Boden. Wodka und Orangensaft bildeten eine Lache neben ihr. Wie durch einen Nebel beobachtete Sarah, wie sie sich ausbreitete, wie ein Rinnsal auf ihr Bein zufloss und wie ihre Jeans es aufsaugten. Es fühlte sich warm an.

Sie grinste.

Vielleicht sollte ich mich aufraffen und mal schauen, wo Flea ist, überlegte sie träge. Es war fast eine halbe Stunde her, seit er sie mit ihrem Plastikbecher hatte stehen lassen, weil er mal pinkeln musste.

Sie drehte den Kopf nach links, suchte die Masse der zuckenden Körper ab. Doch es war vergeblich, sie konnte ihn nirgends entdecken. Sie wusste ja nicht mal, in welche Richtung er verschwunden war. Es gab einen offenen Durchgang zu einer zweiten riesigen Tanzfläche. In diesem Durchgang stand ein in sich verschlungenes Pärchen. Sarah konnte die Gesichter der beiden nicht erkennen, zum einen, weil sie so dicht zusammenstanden, und zum anderen, weil es insgesamt zu dunkel war um in den zuckenden Lichtern überhaupt irgendetwas richtig zu sehen. Gierig befummelten sie einander. Das Mädchen war dick und hatte kurze Stoppelhaare; sie lehnte mit dem Rücken am Türrahmen. Auf ihrer Kopfhaut hatte sie eine schwarze Tätowierung. Der Junge hatte sich an sie gepresst und den Kopf zwischen ihrer Schulter und dem Hals vergraben. In Zeitlupe hob das Mädchen ein Bein und legte es dem Jungen um die Hüfte.

Sarah schaute an dem Pärchen vorbei in die zweite Halle.

Da entdeckte sie Flea.

Er stand so, dass sie ihn nur von der Seite sehen konnte, hatte den Kopf gesenkt und sprach mit zwei Leuten, die Sarah zuvor noch nicht gesehen hatte. Einer der beiden hatte ein kleines Päckchen in der Hand. Sie besprachen irgendwas. Es sah fast so aus, als stritten sie sich. Flea schüttelte den Kopf und sagte etwas. Die anderen beiden zuckten als Antwort mit den Schultern und zeigten auf das Päckchen. Flea sagte wieder etwas. Er schien wütend zu sein. Seine Worte verloren sich im Lärm aus Musik, Stimmengewirr und Stampfen, der das ganze Gebäude erfüllte. Aber seine Mundbewegungen und seine Gesten waren derart nachdrücklich, dass Sarah annehmen musste, dass er schrie.

Sarah war neugierig, sie wollte wissen, was los war. Sie beugte sich vor um besser an dem verschlungenen Pärchen im Durchgang vorbeisehen zu können.

Sie überlegte, ob sie vielleicht versuchen sollte ihm zu helfen. Immerhin war es nett von Flea gewesen, dass er sie zu der Party mitgenommen hatte. Vielleicht konnte sie ihren kleinen Streit schlichten.

Umständlich rappelte sich Sarah auf. In ihrem Kopf drehte sich alles vom Wodka und der Musik, von den zuckenden Lichtern und der Hitze. Sie schaute wieder zu Flea hinüber. Jetzt war nur noch einer der Jungen bei ihm, der andere war verschwunden. Der Typ, der noch bei ihm stand, war extrem mager. Immer wenn Flea etwas zu ihm sagte, glitten seine scharfen Augen über die Menge um sie herum; anscheinend wollte er wissen, ob jemand sie beobachtete. Für einen Augenblick traf sich sein Blick mit dem von Sarah. Sie zuckte zusammen, so durchdringend war dieser Blick, so intensiv blau die blitzenden Augen, kalt wie winzige blaue Glassplitter. Doch offenbar war sie nicht interessant für ihn, denn er ließ den Blick weiterwandern und wieder einen Augenblick lang auf einem anderen Gesicht in der Menge verweilen. In diesem Moment begriff Sarah, dass sie besser nicht versuchen sollte irgendeinen Streit zu schlichten. Der Typ mit den Augen so hart wie Diamanten sah nicht gerade freundlich aus, und wenn sie jetzt plötzlich in Erscheinung trat, machte das die Sache womöglich nur noch komplizierter. Sie beschloss stattdessen eine Toilette zu suchen. Vielleicht hatten sie sich ja wieder beruhigt, bis sie zurückkam. Sie stützte sich an der Wand ab, bis sie sicher stand. Die Wand war feucht von Kondenswasser. Sarah stieß sich ab, wischte die

Hand am Hosenboden trocken und ging zielsicher auf den Eingang zu, durch den sie gekommen waren.

Einmal drehte sie sich noch um, doch Flea und sein Freund waren verschwunden, aufgesaugt von den blauen Dunstschwaden, dem Zigarettenrauch und der Masse der tanzenden, zuckenden, sich windenden, knutschenden und schwitzenden Körper.

Eine Gruppe Mädchen saß am Eingang im Kreis auf dem Boden. Sarah bückte sich leicht schwankend und fragte eine von ihnen brüllend, wo die Toiletten seien. Das Mädchen, das sie gefragt hatte, trug eine Sicherheitsnadel im rechten Nasenflügel, die durch eine dünne Silberkette mit einer zweiten Sicherheitsnadel oben im rechten Ohr verbunden war. Sarah hatte sich so weit zu ihr hinuntergebeugt, dass sie das winzige Loch im Nasenflügel des Mädchens sehen konnte, in dem die Sicherheitsnadel steckte. Fasziniert starrte sie darauf, während sie mit dem Mädchen sprach. Es sah eklig aus, ganz rot und entzündet, und das Gewicht der Sicherheitsnadel zog den Nasenflügel nach unten und vergrößerte das Loch. Das Mädchen schaute Sarah einen Augenblick lang durch schwarz getuschte Augenwimpern an und prüfte die Frage sorgfältig, bevor sie sich wieder den anderen zuwandte. Sie wiederholte Sarahs Frage und alle kreischten und lachten hysterisch.

»Zeigt sie ihr«, kicherte eines der Mädchen.

Zwei standen auf, hielten sich aneinander fest um das Gleichgewicht halten zu können und gingen davon, wobei sie Sarah hinter sich herzogen. Eine davon war das Mädchen mit den Sicherheitsnadeln.

»Komm mit«, drängten sie.

Sie verließen das Gebäude und gingen an einer Seite daran entlang. Nach der Hitze drinnen war es draußen eiskalt und Sarah fror, während sie hinter den beiden Mädchen herstolperte. Sie gingen ganz an dem Gebäude entlang durch Gras und Kies und bogen am Ende nach rechts ab, wo ein riesiger Backsteinbogen einen breiten, hohen, vorne und hinten offenen Tunnel bildete, der das Gebäude, aus dem sie kamen, mit dem nächsten verband. In dem Tunnel brannten in drei Ölfässern Feuer. Es knisterte und Funken und Flammen sprühten. Eine Gruppe Jugendlicher hatte sich um die Fässer versammelt, einige saßen auf Holzplanken, Autoreifen oder alten Gasflaschen, andere standen. Vor und im Tunnel stank es nach verbranntem Gummi und Urin.

Sarahs Führerinnen umrundeten die Menschentraube beim Feuer und gingen weiter zum anderen Ende des Tunnels. Sarah folgte ihnen wortlos und mit leicht unsicheren Schritten. Am Tunnelende angekommen deuteten sie auf einen Haufen Schutt und Gerümpel, ausrangierte Kinderwagen, verrostetes Eisenblech, Dosen und Autoreifen. Zwischen dem Abfall wuchsen reichlich Disteln und Brennnesseln.

»Da ist sie, deine Toilette«, rief eines der Mädchen lachend.

»Es gibt nur die eine für alle, also pass auf, dass du dich nicht in Windrichtung zu den Jungs hinhockst. Die sind nämlich nicht so gut im Zielen«, kicherte die andere.

Lachend hielten sie sich wieder aneinander fest und stolperten durch den Tunnel zurück. Sarah ließen sie bei dem Müllhaufen zurück.

»Als Klopapier gibt's jede Menge Brennnesseln«, riefen sie noch, bevor sie um die Ecke des Gebäudes verschwanden.

Sarah blieb einen Augenblick lang unschlüssig stehen. Wenn sie bloß wüsste, wo Flea inzwischen war! Aber sie hatte das Gefühl, als sollte sie nach der seltsamen Angelegenheit, die sie beobachtet hatte, einige Zeit verstreichen lassen, bevor sie sich auf die Suche nach ihm machte.

Sie musste ihn allerdings irgendwann finden, denn er wusste, wo sie waren, also würde er auch wissen, wie sie wieder nach Hause kamen.

Sarah wusste es nämlich nicht.

Sie wusste nicht einmal, wo sie waren.

Um hier rauszukommen zu den Hallen waren sie zunächst kilometerweit mit dem Nachtbus gefahren, dann Ewigkeiten an einem schwarzen, öligen Fluss entlanggegangen. Die Gegend wirkte wie industrielles Ödland, es war ein riesiges Gebiet mit lange aufgegebenen, halb verfallenen Gebäuden. Geisterhallen ragten neben dem Weg auf und gewaltige Stahlkonstruktionen, die aussahen wie riesige, verhungerte und ausgezehrte Gebäudeskelette, stöhnten gespenstisch im Wind. Bis hierher waren sie allein unterwegs gewesen, doch je näher sie der Fabrik kamen, desto mehr Leute trafen sie und alle gingen in dieselbe Richtung. Sie gingen über eine alte Eisenbrücke, hinter der Kopfsteinpflaster begann, und vorbei an riesigen Lagerhäusern und dunklen Schuppen. Die einzigen Lichter waren Bewegungsmelder gewesen, die hier und da hoch oben an den Lagerhallen angebracht waren. Sie schalteten sich ein, wenn sie vorbeigingen, und tauchten das Gelände in eine gleißende Helligkeit, die das Sehen noch schwieriger machte, wenn sie danach wieder in die Dunkelheit mussten.

Ganz unerwartet hatten sie dann vor den Hallen gestanden.

Sie waren um eine dunkle, stille Ecke gebogen und plötzlich war ihnen die Musik ins Gesicht geschlagen, dröhnend und hämmernd. Aus einem der Lagerhäuser, dessen riesige Industrietore offen standen, fluteten Licht und Hitze. Ganze Horden junger Leute gingen oder saßen herum, tanzten und redeten und schrien durcheinander, wuselten herum und drängten sich in die Halle.

Sarah hielt sich dicht bei Flea, als der sich ins Getümmel stürzte. Er kannte eine Menge Leute. Er ließ sich etwas Geld von ihr geben und holte für sie beide Getränke in Plastikbechern. Wo er sie herbrachte, wusste Sarah nicht, denn sie sah nirgendwo eine Bar. Eine Zeit lang standen sie nur herum. Flea nickte verschiedenen Leuten zu oder grunzte sie an, wenn sie herüberkamen und ihm freundschaftlich auf die Schulter klopften. Er stellte Sarah niemandem vor und niemand verlor eine Bemerkung darüber, dass sie mit ihm da war.

Zu Anfang war Sarah etwas nervös, fühlte sich unwohl in diesem Tollhaus aus Lärm und Alkohol und fremden Leuten. Stumm stand sie neben Flea, ließ ihn nicht außer Reichweite und schaute sich vorsichtig um.

Nach etwa einer halben Stunde, als keiner ihr ein Messer in den Bauch gerannt hatte, sie nicht ausgeraubt worden war und auch keiner versucht hatte sie zu vergewaltigen, entspannte sich Sarah und begann den Abend zu genießen. Sie mischte sich unter die Leute, die auf der Tanzfläche herumhüpften und -sprangen. Sarah gefiel das. Es war verrückt und abgedreht und machte Spaß. Alle schwitzten, die Haare klebten einem am Kopf und die Musik stachelte einen dazu auf, sich wild zu bewegen. Flea brachte noch mal zwei Drinks und nach einer Weile hatte Sarah fast das Gefühl zu schweben. Wenn sie die Augen schloss, drangen die grellen, in verschiedenen Rot- und Gelbtönen gesprenkelten Lichter durch ihre Lider und blitzten und blendeten sie, und wenn sie den Kopf drehte, rotierten sie und wirbelten in irren Bahnen herum, so dass ihr schwindelig und ein bisschen übel wurde. Wenn sie die Augen wieder öffnete, hatte sie den Eindruck, alles durch einen Gazeschleier hindurch zu sehen. Die Leute bewegten sich im Takt zur Musik – die sehr schnell war –, aber Sarah kam es gleichzeitig so vor, als bewegten sie sich in Zeitlupe, was absolut keinen Sinn machte. Also hatte sie sich auf den Betonboden gesetzt und gegen die Wand gelehnt, als Flea meinte, er würde mal kurz verschwinden. Alle anderen hüpften wie wild weiter.

Und jetzt stand sie allein vor einem Haufen Abfall am Ende eines stinkenden Tunnels in der Eiseskälte und wusste nicht, was tun. Sie ärgerte sich, dass sie sich keine Gedanken darüber gemacht hatte, wie sie wieder nach Hause kam. Es war völlig untypisch für sie, den Heimweg nicht organisiert zu haben. Normalerweise überlegte sie schon vorher, ob sie den Bus oder ein Taxi nehmen wollte, in welche Richtung sie fahren und wie viel es ungefähr kosten würde. Und vor allem wusste sie sonst immer, wo der Ort lag, von dem aus sie nach Hause wollte. Was um alles in der Welt sollte sie tun, falls Flea in irgendwelche dubiosen Geschäfte verwickelt war oder – noch schlimmer – falls er bereits ohne sie heimgegangen war?

Sie hickste und schwankte leicht und dachte nach.

Gleich draußen vor dem Tunnel hörte Sarah plötzlich ein Geräusch und wirbelte herum. War ihr jemand nachgeschlichen? Vor ihren Augen schwamm alles und es dauerte ein paar Sekunden, bis sie wieder klar sehen konnte. Doch es war niemand da. Vor ihr lag ein dunkles Stück

Grasland, das sich in der Nacht verlor. Die Halme zitterten und bebten, wenn der strenge Wind sie unsanft streichelte. Sarah trat an den Tunnelausgang und schaute zum Himmel hinauf. Tintenschwarze Wolken zogen vorbei. Der Mond, der sich dahinter verbarg, malte die Ränder der hoch aufgetürmten Gebilde gespenstisch weiß. Wenn der Himmel aufriss, glitzerte manchmal eine grelle Mondsichel durch, doch die meiste Zeit über waren die Wolken schwer und dick und verdeckten das kalte Licht.

Wieder hörte Sarah ein Geräusch.

Sie lauschte, versuchte angestrengt hinter der bewegten Grasfläche etwas zu erkennen und das schwache Geräusch zuzuordnen.

Schlich da jemand herum?

Oder war es ein Schrei?

Sarah trat aus dem Tunnel heraus.

Es kam von rechts.

Sie drehte sich um.

An die raue Backsteinmauer des Tunnels gedrückt standen dort in der Dunkelheit zwei Gestalten.

Sarah zögerte gerade lange genug um mitzubekommen, wie wütend die beiden waren, um den strengen Geruch ihres Hasses wahrzunehmen. Sie sprachen mit lauter Stimme und in drohendem Ton, die Hälfte der Worte riss der Wind mit sich, die andere drang an Sarahs Ohr. Ihre Gesten waren aggressiv, gewalttätig.

Sarah drückte sich an die Wand, beobachtete die Szene zwar weiter, verschmolz aber geräuschlos mit den Schatten. Sie wusste, wer die beiden waren. Sie hatte das dunkle, krause Haar von Flea erkannt und die schmalen, eckigen Züge des Jungen, mit dem er schon drinnen gestritten hatte. Ihr war klar, dass sie hier unerwünscht war und dass sie sich besser so leise wie möglich zurückziehen sollte. Aber sie blieb, beobachtete, lauschte.

Der Streit ging in der gleichen Heftigkeit weiter. Es schien immer noch um dasselbe kleine Päckchen zu gehen, das jetzt Flea in der Hand hielt. Plötzlich trat der andere einen Schritt zurück. Beide verharrten einen Augenblick; die Szene glich einem Standbild in einem Video.

Flea stand reglos da.

Der blauäugige Unbekannte sah aus wie eine hässliche Gottesanbeterin, wie er da geduckt vor Flea stand und plötzlich von hinten in kaltes, weißes Mondlicht getaucht war.

Sarah hielt den Atem an, zog aber unwillkürlich scharf die Luft ein, als sie das Metall aufblitzen, einen verirrten Mondstrahl auf der polierten Klinge eines Messers glitzern sah. Der Unbekannte hielt es in der Hand, nicht hoch über dem Kopf, wie sie es schon in Filmen gesehen hatte, sondern weit unten, gefährlich, tödlich, bereit zum Zustechen. Ohne sich eine Sekunde Zeit zum Nachdenken zu lassen, ohne eine Sekunde zu überlegen, was er tat, ohne einen Gedanken an seinen nächsten Schritt zu verschwenden, stieß der magere Unbekannte mit dem Messer zu, führte es in einem tödlichen Bogen Richtung Flea, der geduckt dastand. Das eisige Mondlicht ließ die Klinge erneut aufblitzen, als sie durch die Luft schnitt. Ein heller Bogen markierte ihren Weg, als sie sich unbarmherzig in Flea hineinbohrte. Der stöhnte leise und sank in sich zusammen.

Auch Sarah stöhnte, ein unüberlegter, primitiver Aufschrei von Schock und Schmerz und ungläubigem Entsetzen. Eine Hand drückte sie sich auf den Magen, mit der anderen hielt sie sich den Mund zu, während sie beobachtete, wie der Unbekannte das Messer herauszog, dessen polierte Klinge jetzt glanzlos und verschmiert war. Ohne jede Gefühlsregung beugte er sich vor und entwand Fleas schlaffer Hand das kleine Päckchen, das der Grund der Auseinandersetzung gewesen war.

In dem Moment würgte Sarah. Es war ein trockener, unkontrollierbarer, erstickter Ton, der ihr in der Kehle stecken blieb und die Luft abschnürte.

Sie wusste, dass sie sich gleich übergeben musste.

Sie wusste auch, dass sie gehört worden war.

Der Unbekannte reagierte nicht sofort, was in gewisser Weise noch erschreckender war. Als Sarah das Geräusch von sich gab, das ihre Anwesenheit verriet, hielt er einen Augenblick in seinen Bewegungen inne. Nur für den Bruchteil einer Sekunde.

Eigentlich war es gar kein Innehalten, nur eine kaum wahrnehmbare Verzögerung, ein winziges

Zaudern der Muskeln. Dann richtete er sich auf, schüttelte mit einem Ruck die Jacke auf den spitzen Schultern zurecht und drehte sich langsam, unendlich langsam und mit Bedacht zu Sarah um, die reglos und wie versteinert dastand.

Zum zweiten Mal an diesem Abend trafen sich ihre Blicke und wieder spürte Sarah, wie es ihr kalt über den Rücken lief, als die eisblauen Augen sie anschauten. Doch dieses Mal ließ er den Blick auf ihr ruhen, prägte er sich ihre Züge ein, damit er sie wieder erkennen würde.

Und Sarah wusste, dass sie hier verschwinden musste, und zwar schnell.

Sie drehte sich um und stolperte blind zurück in den Tunnel. Mit den Händen tastete sie sich an der stinkenden, schmierigen Wand entlang. Sie stolperte über haufenweise Abfall und Unrat. Vor sich sah sie Leute in kleinen Grüppchen um die brennenden Ölfässer herumstehen. Sie konnte ihre Stimmen hören, die im Tunnel widerhallten. Sie lauschte auf ihren eigenen rauen Atem, der unter der hohen Tunnelwölbung noch lauter klang. Ihre Schritte waren unbeholfen und zu langsam. Sie kam nicht schnell genug voran. Sie hob die Füße und versuchte über das Gerümpel wegzusteigen, das sie nicht sehen konnte. Das heftige Auftreten ihrer Füße und das Zittern ihres Körpers ließen die Übelkeit wieder in ihr aufsteigen. Sie hatte Angst, an ihr zu ersticken, und versuchte verzweifelt sie unter Kontrolle zu bekommen. Sie durfte nicht stehen bleiben, musste weitergehen. Sie keuchte und schluckte schwer. Hinter sich konnte sie hören, wie ihr Verfolger durch Gestrüpp und Unrat stürmte. Mit jedem Schritt verkürzte er ihren Vorsprung, so dass sie bald schon seinen keuchenden Atem über ihrer rechten Schulter hörte. Sarah schluchzte in Panik. Was würde er ihr antun, wenn er sie zu fassen bekam? Ihr ein Messer in den Bauch jagen? Sie ermorden, wie er Flea ermordet hatte?

Er würde sie nicht kriegen. Er konnte sie nicht kriegen. Sarah würde das nicht zulassen. Sie würde entkommen. Sie würde laufen und sich aus diesem Alptraum befreien. Doch wohin konnte sie laufen? Sie kannte in dieser schrecklichen Gegend niemand. Nur Flea, und der lag jetzt zusammengesunken an der Wand. Sarah wurde bewusst, dass sie nirgendwo hinkonnte, niemanden hatte, an den sie sich wenden konnte. Sie kannte sonst keinen auf dieser Party. Sie hatte nicht die geringste Ahnung, wie sie heimkommen sollte. Sie wusste, verdammte Scheiße, nicht mal, wo sie war.

Plötzlich kam von hinten ein lauter Fluch und ein Rums – ihr Verfolger war gestolpert und auf den Boden geknallt. Sarah hörte ihn brüllen, während er versuchte so schnell wie möglich wieder auf die Beine zu kommen. Er warf Erde und Bierdosen nach ihr und ein mit aller Kraft geschleuderter Backsteinbrocken landete direkt vor ihren Füßen.

Sie riskierte einen Blick zurück, wobei sie sich an der Mauer abstützte, doch außerhalb des

Lichtscheins der Feuer war die Dunkelheit fast undurchdringlich, besonders am Boden, so dass sie nur vage die Silhouette von jemandem erkennen konnte, der sich mehrere Meter weit von der Stelle, an der sie stand, bewegte. Sarah drehte sich wieder um. Sie musste seinen Sturz ausnutzen und ihren Vorsprung vergrößern, doch auch sie verlor plötzlich das Gleichgewicht und fiel auf die Knie. Sie zuckte vor Schmerz zusammen, weil sie mit dem Knie genau auf einem Steinbrocken gelandet war. Um sie herum war alles rabenschwarz. Sie konnte nichts sehen. Das hohe Unkraut und Gestrüpp verdeckten den Blick auf die züngelnden Flammen in den Ölfässern. Sarah schluchzte jetzt in panischer Angst, ihrem Verfolger nicht entkommen zu können. Mit einer Hand versuchte sie die Mauer zu ertasten, doch sie wedelte nur in der Luft herum, fand keinen Halt. Ein Schmerz schoss ihr durchs Bein, als sie auf den Knien vorwärts rutschte und mit beiden Händen nach der rauen Mauer suchte. Ihr Richtungssinn funktionierte in der Dunkelheit nicht mehr und sie war sich nicht sicher, wohin sie kroch. Vielleicht war die Tunnelwand hinter ihr. Vielleicht hatte sie sich selbst beim Fallen gedreht. Vielleicht kroch sie direkt auf ihren Feind zu …

Sarah war in Panik, hörte Schritte, wusste, dass ihr Jäger wieder auf den Beinen und hinter ihr her war. Auf dem Boden war sie verwundbar, hatte keine Chance zu entkommen. Hektisch tastete sie in der Dunkelheit herum und war erstaunt, als sie plötzlich mit der linken Hand direkt neben sich die Mauer berührte. Sarah schob die Hand langsam höher und wollte aufstehen, stieß jedoch mit dem Kopf schmerzhaft an Backsteine direkt über ihr. Sie fiel wieder hin, war halb benommen. Verwirrt suchte sie mit den Händen ihre Umgebung ab. Sie spürte rechts und links von sich raue Wände. Einen knappen Meter über sich ertastete sie glitschige, feuchte Steine – an denen hatte sie sich den Kopf gestoßen. Anscheinend war sie in einer Art tiefer Nische, die sich in der Tunnelwand befand. In der Dunkelheit und in ihrer Panik nach dem Sturz war Sarah ohne es zu wissen hineingekrochen. Da kauerte sie nun, hockte auf dem feuchten Boden und konnte ihr Glück kaum fassen. Wahrscheinlich hatte sie zufällig das einzige Schlupfloch gefunden, das es auf dem gesamten Gelände gab.

Ein Schaudern überlief sie.

Ihr Herz schlug wie verrückt gegen die Rippen und drohte ihren Brustkorb zu sprengen, während sie voller Angst in den Tunnel hinausstarrte, wo der Unbekannte herumgeisterte. Sie konnte hören, wie er ein paar Schritte lief, dann stehen blieb, wieder ein kleines Stück weiterging, erneut innehielt und ungefähr zu der Stelle zurückging, wo er gestürzt war. Er hielt Ausschau nach ihr, suchte sie. Sarahs Atem kam stoßweise und rau. Sie versuchte leise zu atmen – auf keinen Fall durfte sie sich verraten –, doch jeder Atemzug tat weh. Ihr Rücken, ihre Arme und ihre Brust waren schweißnass und bald fror sie entsetzlich, als sie so in der stillen, feuchten Mauernische saß. Tränen der Angst liefen ihr über die Wangen.

Sie mochte sich nicht bewegen vor lauter Furcht, entdeckt zu werden, aber als sie schließlich doch einen vorsichtigen Blick nach draußen riskierte, stellte sie fest, dass sie nicht weit von den Ölfässern entfernt war, in denen die Feuer brannten. Sie befand sich in der Nähe der Stelle, wo Jugendliche in Grüppchen zusammenstanden oder -saßen und rauchten und tranken und lachten und sich unterhielten. Sie konnte sogar Fetzen ihrer Unterhaltung verstehen, die der Wind zu ihr herüberwehte, ihr Lachen, das Knacken, wenn sie Bierdosen öffneten. Doch ihr blieb fast das Herz stehen, als sie plötzlich eine dunkle, schmale Gestalt sah, die auf die Gruppe zuging und sich wortlos unter die anderen mischte.

Sarah beobachtete ihn. Ihr klapperten die Zähne. Sie konnte sehen, wie sein Brustkorb sich vom Laufen hob und senkte, konnte sehen, wie er die Hände an den Seiten zur Faust schloss und wieder öffnete. Er schaute sich die Gesichter sämtlicher Leute an, die um die Feuer herumstanden, suchte nach ihr, versuchte herauszufinden, ob sie sich unter der anonymen Masse befand.

Und Sarah in ihrem Versteck zitterte und wünschte, sie könnte näher ans Feuer rücken, wünschte, sie könnte die Wärme auf ihrem Gesicht spüren. Sie fühlte sich schwach in den Beinen, in ihrem Knie pochte es, ihr war übel. Ihr Herz raste immer noch, während sie fieberhaft überlegte, ihr die Gedanken in tausendfacher Geschwindigkeit durch den Kopf schossen. Was würde jetzt passieren? Wohin sollte sie gehen? Sie konnte absolut nichts tun. Und was war mit Flea, der in der Kälte und Dunkelheit am Ende des Tunnels lag? Lebte er noch oder war er ...? Sarah schluchzte in die Dunkelheit hinein. Sie konnte nichts tun außer warten.

Abwarten, was geschah.

Clem setzte sich im Bett auf. Er war plötzlich wach, so als habe eine unsichtbare Hand ihm den Schlaf wie ein Gazetuch weggezogen. Es war finsterste Nacht. Die rot blinkende Anzeige auf seinem Radiowecker zeigte 3.45 Uhr an. Er war hellwach und lauschte, jeder Nerv vibrierte, sein Herz raste und der Atem kam in heftigen Stößen, die ihm Angst machten.

Was hatte ihn aufgeweckt?

Er lauschte angestrengt um auch das kleinste Geräusch in dem stillen Haus wahrzunehmen. War da draußen etwas gewesen? Vielleicht war jemand aus der Familie nach unten in die Küche gegangen um ein Glas Wasser zu trinken?

Doch kein Ton drang an seine Ohren.

Er saß reglos in der Dunkelheit, bis sein Atem wieder gleichmäßiger ging. Sein Herzschlag verlangsamte sich. Leise schlug Clem die Decke zurück und stand auf. Er ging zum Fenster, zog die schweren Vorhänge zurück und lehnte die Stirn gegen das kalte Glas. Sofort beschlug die Scheibe von seinem feuchten Atem, ein runder weißer Fleck bildete sich, der mit jedem Ausatmen größer wurde und nach und nach den Blick auf die dunkle Straße und die geparkten Autos trübte.

Wie üblich war er in Gedanken sofort bei Sarah. Sie war wie ein allgegenwärtiger Geist, drängte sich beständig in seine Gedanken, ihr Bild stand ihm stets vor Augen, ob er arbeitete oder nicht. Sie lenkte ihn ab, brachte ihn aus der Fassung, irritierte ihn. Clem hatte das Gefühl, ihr näher zu sein als je zuvor, obwohl sie sich entfernt hatte. Er dachte ständig an sie, träumte nachts von ihr, roch in einem leeren Raum ihre Gegenwart, entdeckte ihre Silhouette in einem Bündel Sonnenstrahlen. Sie verfolgte ihn mit einer Hartnäckigkeit, die ihm schon lange kein Trost mehr war.

Kurz nachdem sie weggegangen war, hatten die Gedanken an sie ihm Sicherheit gegeben, ihn an Zeiten erinnert, die sie gemeinsam verbracht hatten, an Dinge, die sie beide interessierten. Zu Anfang war er ganz sicher gewesen, dass sie in ein paar Wochen zurückkommen würde, wenn sie sich erst die Finger verbrannt und gemerkt hatte, dass sie noch zu jung war um von zu Hause wegzugehen und sich allein durchzuschlagen. Er war fest davon überzeugt gewesen, dass sie, wenn er eines Abends vom College nach Hause kam, am Küchentisch sitzen und ihn schief anlächeln würde. Und er hatte sich schon auf die Zeit danach gefreut, wenn sie über ihre Dummheit lachen und er sie wegen ihrer unsinnigen Ideen aufziehen würde.

Er war sich nicht darüber im Klaren gewesen, wie hartnäckig er an einer Überzeugung festhielt, die im Grunde genommen nichts anderes war als die Weigerung, anzuerkennen, dass sie tatsächlich weg war. Da war die Erinnerung an ihr lachendes Gesicht, seinen teilweise nur gespielten Ärger wegen ihrer Sorglosigkeit, ihre merkwürdig ernsten Ansichten über individuelle Freiheit, seine immer neuen Versuche nachzuvollziehen, warum sie ohne ein Wort und ohne Streit, ohne irgendwelche Abmachungen oder Pläne gegangen war. Und schließlich sein absolutes Unvermögen, sie in irgendeiner Weise zu verstehen, obwohl er sich stundenlang den Kopf darüber zerbrochen und hin und her gegrübelt hatte. All dies hatte ihn in den ersten Wochen von Sarahs Abwesenheit über Wasser gehalten.

Doch als die Zeit verstrich, ohne dass sie Kontakt aufnahm, ohne eine Nachricht, ohne Brief und ohne Anruf, da hatte er die Hoffnung verloren. Was ihm geblieben war, war die geisterhafte Gegenwart einer Schwester, die seine Gedanken beherrschte und es schwierig für ihn machte, dem Studium mit demselben Engagement nachzugehen wie zuvor.

Als er jetzt aus dem Fenster hinausschaute auf die ordentlich gepflegten Vorgärten, auf die dunklen Schatten, die die Hecken auf die kurz geschorenen Rasenflächen warfen, wusste Clem mit absoluter Gewissheit, dass Sarah in dieser Nacht etwas zugestoßen war. Man kann es Intuition nennen oder einen primitiven Instinkt, längst schon zugeschüttet von jahrhundertelanger Zivilisation und Verfeinerung, doch Clem spürte es im Bauch, spürte ganz deutlich, dass etwas nicht stimmte, dass Sarah etwas sehr

Schlimmes passiert war. Auch wenn Sarah ihrer Familie und deren Gewohnheiten, Erwartungen und Eigenheiten den Rücken gekehrt hatte, würde sie doch nie das preisgeben, was ihre eigene Persönlichkeit ausmachte. Es war tief verwurzelt, zum Teil in ihren Erbanlagen und zum Teil in ihrem Umfeld und ihrer Erziehung. Und weil Clem die gleiche Erziehung genossen hatte und das gleiche Blut in ihm floss, hatten sie vieles gemeinsam. Es war ganz natürlich, dass es ein Bindeglied, ein Band, irgendeine spirituelle Verbindung zwischen ihnen geben musste.

Und dieses nicht greifbare Band war es, das Clem so abrupt aufgeweckt hatte, als hätte ihm jemand einen Eimer kaltes Wasser übergegossen. Es war niemand unten in der Küche. Draußen auf der Straße war kein fremdes Geräusch. Er war keinem Herzinfarkt nah.

Sarah war in Schwierigkeiten.

Die Jugendlichen, die um die Ölfässer herumgestanden hatten, gingen nach und nach wieder hinein. Gelegentlich kamen andere aus dem dampfenden, pulsierenden Saal um frische Luft zu schnappen und standen eine Weile herum, doch nach einer gewissen Zeit wurden es immer weniger. Schließlich war nur noch etwa ein Dutzend junger Leute da. Die Feuer waren heruntergebrannt. Statt der hohen, züngelnden Flammen war nur noch Glut da, aus der gelegentlich grüne Flämmchen aufflackerten oder auch mal ein Funkenregen sprühte.

Und Sarah hockte immer noch in ihrem Versteck. Unsichtbar. Sicher.

Und der magere Unbekannte stand immer noch bei den Fässern, beobachtete, registrierte jede Bewegung, jedes Zittern der Grashalme, jede herumrollende Bierdose, jedes Rauchwölkchen. Er hielt weiter Wache, war sicher, dass sie noch irgendwo in der Nähe sein musste, nicht entkommen war.

Sarah hatte inzwischen den Namen des Unbekannten erfahren: Graffiti. Etliche Leute kannten ihn und sprachen ihn mit Namen an. Und die Worte wehten herüber zu ihren aufmerksamen Ohren. Er reagierte kaum auf die Begrüßungen, nickte nur ab und zu kaum merklich mit dem Kopf und manchmal tat er auch gar nichts. Bis zwei junge Männer auftauchten, die ihn offenbar gut kannten. Die drei steckten die Köpfe zusammen und Graffiti brachte sie auf den neuesten Stand der Ereignisse. Als Graffiti auf das Ende des Tunnels zeigte, schauten die beiden andern direkt in Sarahs Richtung. Sie standen dicht beieinander, die Schultern hochgezogen, und horchten auf das, was er sagte, schauten ihm ab und zu ins Gesicht. Sarah konnte sich vorstellen, wie sich ihre Mienen veränderten – zunächst ernst und aufmerksam, wurden sie wütend und entschlossen. Während Sarah sie beobachtete, spürte sie eine eisige Kälte in ihre Knochen kriechen. Jetzt waren sie zu dritt hinter ihr her.

Auch während Graffiti sprach, wanderte sein

Blick unaufhörlich herum, nahm er jede Bewegung wahr, starrte in die Schatten, versuchte sie durch die Nachtschwärze hindurch auszumachen und herauszubekommen, wo sie sich versteckte. Und seine Kumpel taten es ihm nach und begannen die Gegend intensiv mit den Augen abzusuchen. Und nicht nur das. Sarah beobachtete erschrocken, wie er sie losschickte, damit sie im Gestrüpp nach ihr suchten oder möglicherweise auch nach Flea. Vielleicht wollten sie ihn endgültig fertig machen – oder die Leiche begraben. Sarah wusste nicht, was sie vorhatten, doch sie drückte sich noch tiefer in das stinkende Loch und lauschte angestrengt, als sie durch Abfall und Unkraut liefen und laut miteinander redeten. Ihre Suche dauerte endlos lang.

Sie rührte sich nicht und schließlich entfernten sich die Schritte ihrer Verfolger ein Stück weit und ihre Stimmen wurden leiser.

Sarah spürte, wie eine tiefe Niedergeschlagenheit sie überfiel und zu ersticken drohte. Sie fühlte sich vollkommen hilflos. Ihre Augen brannten und wollten ihr zufallen, ihre Nerven lagen blank. Sie kam fast um vor Kälte und die Beine waren ihr eingeschlafen. Sie schaukelte ununterbrochen vor und zurück und versuchte ihre innere Unruhe in den Griff zu bekommen. Ihre Gedanken rasten.

Sie machte sich Sorgen um Flea, der irgendwo im Gras lag.

Noch größere Sorgen machte sie sich um sich

selbst. Die Unbekannten jagten ihr Angst ein. Vor allem Graffiti. Vor ihm hatte sie eine solche Angst, wie sie sie noch nie zuvor in ihrem ganzen Leben erfahren hatte. Und es war keine gruselige Gänsehaut-Angst, wie man sie empfindet, wenn man Horrorfilme oder Thriller anschaut. Die war ja noch lustig, diese Art von Sich-am-liebsten-unter-der-Bettdecke-verkriechen-wollen-Angst, bei der man kreischend vom Sofa springt und den Fernseher ausschaltet.

Das hier war anders.

Ganz und gar anders.

Das war eine Angst, die ihre Gedanken zersetzte, die sie völlig in ihrer Gewalt hatte und sie in den Wahnsinn trieb. Sie war in Gefahr. In einer wirklichen Gefahr. Wie sie bisher noch keiner begegnet war. Der Typ war verrückt. Irgendein dealender Irrer, der ohne mit der Wimper zu zucken Flea ein Messer in den Bauch gejagt hatte. Er würde keine Sekunde zögern sie genauso fertig zu machen. Und dazu kamen noch seine wahnsinnigen Kumpels, die seine tödlichen Befehle ausführten. Und sie konnte nichts dagegen tun. Nichts außer in ihrem Loch hocken und warten wie ein in die Enge getriebener Dachs während der Jagdsaison.

Vorsichtig schaute sie hinaus und sah, dass seine Kundschafter sich wieder zu ihm gesellt hatten. Sie standen noch eine Weile herum und redeten, und schließlich, sie glaubte es kaum, gaben Graffiti und seine Gefolgsleute ihren Wachposten auf und schlenderten davon, die Hände in den Taschen vergraben. Ungläubig schaute Sarah ihnen nach, konnte nicht fassen, dass sie tatsächlich aufgegeben hatten.

Sie traute dem Frieden nicht.

Das war garantiert eine Falle. Graffiti würde jetzt kaum aufgeben, nachdem er Ewigkeiten auf sie gelauert hatte. Wahrscheinlich stand er bloß am Hallentor und wartete auf sie, wartete darauf, sich auf sie zu stürzen. Also blieb sie allein in der Kälte und Dunkelheit hocken. Ab und zu döste sie ein, doch eine halbe Minute später schreckte sie schon wieder hoch, zitternd und mit verkrampftem Nacken. Die meiste Zeit jedoch saß sie nur da und starrte niedergeschlagen hinaus in die Dunkelheit und schaukelte vor und zurück, vor und zurück, immer nur vor und zurück.

Erst als der Tag sich schmerzhaft öde in die Himmelsflecken an den Tunnelenden schob, raffte Sarah sich auf und kroch aus ihrem Versteck. Die Öltonnen standen verlassen da, nur ein Pärchen lag ineinander verschlungen auf der warmen, verbrannten Erde.

Steif kroch Sarah zu dem feuchten Gras und setzte sich. Langsam kehrte das Gefühl in ihre tauben Glieder zurück. Sie schaute sich um und sah zum ersten Mal den Ort, an dem sie die halbe Nacht verbracht hatte. Nichts war ihr vertraut. Die Umgebung war ihr durch einen anderen ihrer fünf Sinne gezeigt worden, so dass ihr Anblick nun fremd war. Die Entfernungen waren anders, als sie es sich vorgestellt hatte, die Feuer lagen weiter weg, das Ende des Tunnels war dafür nur ein kurzes Stück entfernt, dabei war es ihr meilenweit vorgekommen, als sie in der Dunkelheit durchgestolpert war. Sogar die Richtungen waren anders, die Orientierungspunkte verschoben. Die Nische – lag sie etwa auf derselben Seite wie die Fässer? Aber der Tunnel war doch kerzengerade gewesen, oder?

Sarah saß da, verwirrt und wie benommen. Die Ereignisse der Nacht erschienen ihr wie ein Traum, etwas Fremdes. Sie hatte den Eindruck, als sei alles einer anderen Person passiert, in einer anderen Zeit, an einem anderen Ort. Sarah hatte das Gefühl, selbst nichts damit zu tun zu haben, objektiver Beobachter zu sein. Sie war auch ruhiger. Mit der Dunkelheit schwand ihre panische Angst. Ihre Gedanken waren schwerfällig, stumpf. Der Adrenalinfluss, der sie die ganze Nacht unter Strom gehalten hatte, schien plötzlich gestoppt, so dass sie nun schlapp war und nicht einmal mehr die Kraft hatte, richtig zu denken. Sie stellte fest, dass sie kaum noch genau hätte sagen können, was geschehen war und in welcher Reihenfolge. War denn überhaupt etwas geschehen?

Benommen stand sie auf; der Schmerz in ihren Muskeln ließ sie zusammenzucken. Ein Knie war geschwollen und fühlte sich heiß an. Während Sarah es vorsichtig abtastete, fragte sie sich, was damit passiert war. Ihr war ganz elend. Sie hatte Kopfschmerzen und ein grauenhaftes Gefühl im Magen.

Sie ging ein Stück Richtung Tunneleingang, als ihr plötzlich Flea einfiel, der halb tot am anderen Ende liegen musste. Also drehte sie wieder um und stolperte unsicher zum Tunnelende zurück, durch Gras und all den Unrat, den sie jetzt wenigstens richtig sah, so dass sie ihm ausweichen konnte.

Am Ende des Tunnels, wo das Ödland begann, blinzelte Sarah ins Licht des dämmernden Morgens. Es nieselte. Sie lehnte sich an die Mauer und atmete mehrmals tief ein um ihre Lunge mit der Morgenluft zu füllen. Sie musste sich wappnen gegen den Anblick von Flea, der möglicherweise tot an der Backsteinmauer zusammengesackt war.

Langsam drehte sie den Kopf und schaute zu der Stelle, wo Flea und Graffiti sich am Abend zuvor gestritten hatten. Das hohe Gras schwankte im Wind. Papier und schmutzige Taschentücher flogen herum, blieben an Hecken und hohen Gräsern hängen. Wenn irgendwo ein Stückchen Erde zwischen den Grasbüscheln und dem Unkraut herausschaute, war es schwarz verbrannt. Spuren anderer Partys, anderer durchfeierter Nächte. Unordentliche Steinkreise zeigten an, dass die Feiernden versucht hatten eine Art primitive Feuerstelle zu bauen. Überall lagen zerbeulte Bierdosen und Flaschen herum.

Aber von Flea keine Spur.

Sarah schaute ganz genau hin. Sie ging durch das hohe Gras zu der Stelle, wo sie den Streit und den Messerstich beobachtet hatte. Hatten ihre Augen sie getäuscht? War das wirklich die Stelle? Sie schaute sich rasch um. Vielleicht hatte sie in der Dunkelheit und nach den Drinks, die sie gehabt hatte, Entfernung und Richtung falsch eingeschätzt. Vielleicht lag Flea vor einer ganz anderen Wand, bei einem anderen Teil des Gebäudes, und wartete darauf, dass jemand ihn fand. Sarah machte ein paar Schritte in das Ödland hinein und suchte mit den Augen die gesamte Länge der Lagerhalle ab. Nichts rührte sich. Alles war still, bis auf das gespenstische Wispern der sich sacht berührenden Gräser. Ein feiner Nieselregen fiel, wehte in Schwaden durch die Luft und setzte sich in ihr Haar, wo er zart schimmernde Spinnweben bildete. Sie ging zurück zu der Stelle, von der aus sie beobachtet hatte, wie Graffiti mit dem Messer auf Flea eingestochen hatte. Sie versuchte die Entfernung abzuschätzen, versuchte sich die Szene noch einmal so vorzustellen, wie sie sie miterlebt hatte. Dann schritt sie die Distanz bis zu der Stelle ab, wo ihrer Meinung nach der Streit stattgefunden haben musste. Sarah bückte sich und berührte dort die bloße Erde, versuchte ein Gefühl zu bekommen für die Ereignisse der Nacht, versuchte die Wärme und Energie eines Körpers zu spüren, der dort gelegen haben mochte. Doch die schwarze Erde fühlte sich nur feucht und klamm an. Sarah nahm die Hand weg und betrachtete ihre Fingerspitzen. Waren sie rötlich braun verfärbt? Sie pulte in der Erde, drückte diesmal fester und untersuchte ihre Fingerspitzen erneut. Es gab keinen Zweifel. An ihren Fingern klebte etwas Dunkles, Rötliches. Da hatte Flea gelegen, verletzt und blutend. Jetzt war Sarah schon sicherer, dass sie sich alles nicht nur eingebildet hatte und dass sie an der richtigen Stelle war. Wieder schaute sie sich um, suchte nach Indizien, die ihr verraten würden, was genau geschehen war. Das Gras an der Stelle war zertrampelt, sie entdeckte jede Menge abgeknickter Halme. Füße hatten den weichen Boden aufgerissen und Abdrücke hinterlassen.

Doch Flea war weg.

Sarah ließ sich auf die Knie fallen und versuchte sich auszumalen, was passiert sein könnte.

Entweder es war ihm gelungen, sich aus dem Staub zu machen, was ein gutes Zeichen wäre, da es hieße, dass seine Verletzung nicht ganz so schlimm war. In diesem Fall wäre er sicher nach Hause gegangen. Bestimmt wäre er nicht noch einmal in die Hallen gegangen um nach ihr zu schauen, wenn Graffiti jederzeit hätte auftauchen können. Oder? Eine andere Möglichkeit war, dass jemand ihn entdeckt hatte, als er am Boden lag. In diesem Fall war alles denkbar. Ausschlaggebend war dann, wer dieser Jemand gewesen war. Vielleicht war Graffiti zurückgekommen oder der andere Typ, der ganz zu Anfang bei Flea und Graffiti im Saal gestanden hatte. Aber warum? Um zu sehen, ob Flea noch lebte? Um herauszufinden, ob Sarah ihm vielleicht zu Hilfe geeilt war, und dann zwei Fliegen mit einer Klappe zu schlagen? Um ihm den Rest zu geben? Dass sie Wiederbelebungsversuche gestartet hatten, war jedenfalls schwer vorstellbar. Aber vielleicht hatten ein paar von Fleas Freunden nach ihm gesucht. Sie konnten ihn gefunden und ins Krankenhaus gebracht haben. Oder er war schon tot gewesen, als sie ihn entdeckt hatten, und sie hatten nur noch seine Leiche wegschaffen können. Was machte man mit Leichen oder Verletzten an diesem gottverlassenen Ort? Sarah schaute sich um. Der kalte Wind trieb ihr das Wasser in die Augen. Eines stand fest: Sie würde nicht noch einmal in die Hallen hineingehen und dort nach Flea fragen. Garantiert würde sie Graffiti über den Weg laufen und eine Begegnung mit ihm war mit Abstand das Letzte, was sie sich wünschte.

Sarah hatte nur ein Bedürfnis: sich ins Bett legen und schlafen, schlafen, schlafen. An mehr konnte sie nicht mehr denken. Im Augenblick war ihr einziges Ziel, irgendwie nach Hause zu kommen und sich auszuruhen.

Als sie durch den Regenschleier über die große Wiese schaute, konnte sie ganz in der Ferne eine Straße ausmachen. Winzige Autos fuhren, immer noch mit Licht, dort entlang und Sarah kam zu dem Schluss, dass es wahrscheinlich am vernünftigsten war, diese Richtung einzuschlagen, wenn sie den Heimweg finden wollte. Langsam stand sie wieder auf. Mit gesenktem Kopf, damit ihr der Regen nicht ins

Gesicht tropfte, und mit hochgezogenen Schultern um die Wärme zusammenzuhalten machte sich Sarah auf den Weg durch die grasbewachsene Wildnis hin zu der Straße in der Ferne.

Bis Sarah das Haus der Afandis erreichte, war es fast Mittag. Sie war über die Wiese gestolpert, dann ein Stück getrampt und wieder marschiert. Wo genau sie die zurückliegende Nacht verbracht hatte, wusste sie immer noch nicht. Inzwischen war sie so erschöpft, dass sie sich richtig krank fühlte. Sie schloss die Haustür auf und starrte auf die vielen Treppenstufen, die zu ihrem Zimmer hinaufführten, unendlich müde und voll blankem Hass. Nur ein klein wenig wollte sie sich vor dem Mammutaufstieg ausruhen. Sie lehnte sich an den Pfosten des Treppengeländers und legte den Kopf auf die Arme. Selig schloss sie die Augen und schlief auf der Stelle so tief ein, als läge sie unter einem Federbett. Erst als ihre Arme von dem polierten Geländerpfosten abrutschten und sie peinlicherweise mit einem großen Rums auf den Boden knallte, wachte sie auf. Mrs. Afandi erschien in einem glitzernden, paillettenbesetzten gelben Sari in ihrer Tür und schaute mit ihren großen braunen Augen erstaunt auf sie herunter. Sarah blinzelte sie vom Boden aus entschuldigend an und kämpfte sich dann nach oben in ihr Zimmer.

Ohne die Vorhänge zuzuziehen, sich auszuziehen oder die Bettdecke zurückzuschlagen fiel sie auf ihr Bett und schlief sofort wie ein Stein.

Ein lautes Krachen, gefolgt von einem Schrei, weckte Sarah auf, zerschlug ihre friedlichen Träume und vertrieb den Schlaf. Der Schrei war schrill und anhaltend und erschütterte das ganze Haus.

Alarmiert von dem Geräusch setzte Sarah sich mit einem Ruck im Bett auf. Sie schaute zum Fenster in der Hoffnung, dort einen Anhaltspunkt auf die Tageszeit zu bekommen. Der Himmel wurde dunkel; entweder begann bald die Nacht oder es braute sich ein Wahnsinnssturm zusammen. Wie auch immer, es sah düster aus draußen.

Sarah rieb sich fest die Augen und zwang sie dazu, offen zu bleiben, obwohl sie immer wieder zufallen wollten. Sie war einigermaßen bei Bewusstsein, aber immer noch ganz durcheinander. Ihr Körper weigerte sich mit dem Kopf zusammenzuarbeiten; sie wollte hellwach sein und lauschen, aber ihre Sinne machten nicht mit.

Was war los?

Wer schrie?

Sie blieb im Bett sitzen, horchte und versuchte herauszubekommen, was es mit dem plötzlichen Lärm auf sich hatte. Endlich reagierte ihr Körper wieder, wie er sollte, und auch ihre beim schnellen, unsanften Aufwachen durcheinander geschüttelten Gedanken fanden wieder zusammen. Sie zitterte.

Als sie wieder zum Fenster schaute, war sie etwas überrascht ein verschwommenes Farbflackern zu sehen, das die Dunkelheit, die an die

Scheibe drückte, aufleuchten ließ. Schemenhafte Formen tanzten und sprangen und warfen blitzende Schatten in ihr Zimmer. Neugierig geworden trat Sarah ans Fenster. Sie öffnete es, lehnte sich weit hinaus und schaute an der Hauswand hinunter.

Was sie da sah, erschreckte sie bis ins Mark.

Von dem schmalen, dürftig bewachsenen Grasstreifen neben dem Haus flackerten, tanzten, sprangen und blitzten Flammen auf. Feuerzungen in Orange, Rot, Gelb, Grün und Blau leckten an der Hauswand und hinterließen lange, gewundene Spuren von schwarzem Rauch. Der Rauch stieg auch nach oben, drehte und wand sich in irrwitzigen Bahnen, als der Wind ihn packte und herumwirbelte.

Sarah fiel auf, dass das Fenster unter ihrem Zimmer gefährlich schimmerte, wie eine Seifenblase kurz vor dem Platzen. Ölige Regenbogen glitten über die glatte Oberfläche, bis es mit einem entsetzlichen Knall vor Hitze explodierte und Glassplitter verschoss wie angespitzte Gewehrkugeln. Schreie und Rufe erfüllten die Luft.

Über dem Brüllen des Feuers und den Schreien, die von überall her kamen, hörte Sarah in der Ferne ein Martinshorn. Sie trat vom Fenster zurück, zog sich rasch eine Jacke über und rannte zur Tür hinaus. Immer zwei Stufen auf einmal nehmend hastete sie die Treppe hinunter. Auf den Granitstufen vor dem Haus kauerten die sechs kleinen Afandis mit ihrer Mutter, die das Baby auf dem Arm hatte. Drei andere Hausbewohner standen stumm vor Schreck dabei und beobachteten die lodernden Flammen.

Das plötzliche Aufheulen eines Wagens, der auf der anderen Straßenseite parkte und nun angelassen wurde, ließ sie alle aufschauen – genau in dem Moment, als er mit aufgeblendeten Scheinwerfern direkt auf sie zuschoss.

»Ein Betrunkener! Schnell rein!«, brüllte Sarah. Sie hatte Angst, er würde sie alle über den Haufen fahren. Instinktiv packte sie zwei der Afandi-Kinder und schob sie zurück in den Flur. Was war hier los? War die Welt verrückt geworden? Noch nie waren ihr innerhalb von nur vierundzwanzig Stunden so viele entsetzliche Dinge widerfahren.

Doch im letzten Augenblick trat der Fahrer auf die Bremse. Der Wagen kam schlingernd vor der Außentreppe zum Stehen ohne mit etwas zusammenzustoßen. Der Motor wurde abgestellt und danach herrschte eine Sekunde lang, vielleicht war es auch nur eine Millionstel Sekunde, absolute Stille. Doch genau in diesem Moment begriff Sarah – mit einer entsetzlichen Angst, die ihr das Herz zusammenpresste und das Blut in den Adern gefrieren ließ –, dass der Fahrer des schlingernden Wagens nicht irgendein Betrunkener war, der die Kontrolle über sein Fahrzeug verloren hatte, sondern jemand, der sehr wohl die Kontrolle hatte.

Jemand, der wusste, was er tat.

Jemand mit Namen Graffiti.

Die Erkenntnis durchzuckte sie vollkommen unerwartet. Noch bevor sie das schmale, kantige Gesicht sah. Bevor der stechende Blick aus den blauen Augen sie traf. Sie explodierte mit einer physischen Kraft, die Sarah traf wie ein Schlag in den Magen. Sie wusste es, ohne ihn zu sehen, ohne dass er sie ansprach, ohne dass es ihr jemand sagte.

Sie wusste es einfach.

Im selben Moment, in dem das schreckliche Wissen alle Fragen mit einem Schlag beantwortete und sie von schierer Panik geschüttelt wurde, wusste sie auch, wer das Feuer gelegt hatte, das jetzt hell aufloderte. Es war ein ganz gemeiner Anschlag, den er da inszeniert hatte um sie auszuräuchern, um sie in seine Arme laufen zu lassen.

Er stieg jetzt aus, langsam und bedächtig. Sarah musste plötzlich wieder an seine ruhigen, überlegten Bewegungen in der vergangenen Nacht denken. Er lehnte sich über das Dach des Wagens und deutete mit dem Finger auf sie, pickte sie heraus, stellte klar, auf wen er es abgesehen hatte. Seine Augen verengten sich. Er sprach leise; trotz der tödlichen Schärfe im Tonfall war seine Stimme kaum mehr als ein Flüstern. Über das brüllende Feuer hinweg drangen die leisen Worte an ihr Ohr und ließen die winzigen, feinen Härchen darin zittern. Hier und jetzt konnte er ihr nichts antun – ihre Mitbewohner standen um sie herum, ein Feuerwehrauto kam gerade die Straße heraufgebraust, ein

Haufen Leute war zusammengeströmt um sich das Schauspiel anzusehen. Er konnte sie nur mit Worten einschüchtern.

Und das tat er.

Als er sprach, wirkte jede einzelne Silbe gefährlich, war jedes Wort getränkt mit der tödlichen Kraft seiner Drohung.

»Ich krieg dich. Denk immer dran. Du entkommst mir nicht.«

Sarah wimmerte wie ein Baby, war wie gelähmt vor Angst. Sie konnte sich nicht rühren, stand reglos auf der Treppe, ihm halb zugewandt und halb von ihm abgewandt.

Sie war wie erstarrt.

Seine Worte waren in ihrem Kopf, krochen in ihren Ohren herum, füllten ihr Denken aus, waren gleichzeitig überall und nirgendwo, drehten ununterbrochen ihre Runden. Sie wimmerte wieder, wusste weder, wo sie war, noch was sie hörte.

Die einzige Möglichkeit, die Sarah blieb, um dieser grauenhaften Stimme und den stahlblauen Augen zu entkommen, war wegzulaufen. Und plötzlich merkte sie, wie sie losspurtete. Ihre Füße trommelten über den Bürgersteig. Ihr Atem kam in kurzen, schmerzhaften Stößen. Ihr Herz hämmerte gegen ihren Brustkasten.

Doch noch im Laufen holte die Angst sie ein mit einer Macht, die sie blind machte. Sarah wusste nicht mehr, wohin sie lief, und auch nicht, wovor sie davonlief.

Zweiter Teil

20. November

Er ist da drüben. Ich sehe ihn. Er steht in der Menge. Gleich neben dem Kiosk, wo es Kaugummi gibt und Pfefferminzbonbons. Gleich hat er mich. Und er hat sein Messer, mein Gott, silbern und glänzend. Er hat es abgewischt. Das ganze Blut fortgewischt. Fleas Blut wurde weggewischt.

Aber mich kriegt er nicht. Ich weiß, wo ich mich verstecken kann. Er mag keine Tunnel. Ich habe mich das erste Mal in einem Tunnel versteckt und er hat mich nicht entdeckt. Die ganze lange Nacht durch hab ich mich in dem Tunnel versteckt, während er am Feuer stehen musste um sich zu wärmen. Ich brauchte das nicht. Musste mich nicht wärmen. Ich kann überleben. Ich kann mich verstecken. Ich bin clever. Ich kann ihn austricksen. Ich kann ihn abschütteln. In der Dunkelheit. Ganz allein. Ohne Feuer.

Ich wünschte, ich könnte jetzt nach Hause gehen. Das hier macht keinen Spaß mehr. Aber ich habe solche Angst vor diesem Graffiti. Was ist, wenn er zu meinen Eltern geht? Wenn er weiß, wo ich herkomme und wie er mich dort finden kann? Angenommen, er tut meiner Familie was an, und alles bloß wegen mir? Es wäre meine Schuld, wenn er jemand verletzen würde. Sie wüssten nicht, was tun. Sie wissen ja nicht mal, dass so was passieren kann, und selbst wenn sie's wüssten, könnten sie sich nie im Leben vorstellen, dass irgendjemand einem anderen Menschen so etwas Schreckliches antut. Ich hätte es mir ja selbst nicht vorstellen können, wenn es mir jetzt nicht passieren würde.

Ich habe keine Rückfahrkarte und kein Geld um eine zu kaufen. Ich könnte anrufen, aber was könnte meine Familie machen? Sie sind eine Ewigkeit weit weg, und selbst wenn sie rüberkämen, müsste ich mich am Flughafen mit ihnen treffen. Graffiti würde sich wahrscheinlich denken, was Sache ist, und auch da sein.

Kann ich wirklich so egoistisch sein? Bin ich so ein grässlicher Mensch, der seine Familie fallen lässt und abhaut, wenn sie ihm zum Hals raushängt, und sie dann, wenn mal irgendwas schief läuft, gleich wieder anruft? Aber sie würden sowieso nicht verstehen, warum es so dringend ist und warum ich so in Panik bin. Sie würden alles durchdiskutieren und mich zur Vernunft bringen wollen. Aber jetzt ist keine Zeit für Friedensverhandlungen. Vielleicht sollte ich sie anrufen und warnen – oder wär das blöd?

21. November

Ich kann nicht zu den Afandis zurück, weil ich weiß, dass er dort ist und auf mich wartet. Auf der Lauer liegt. In dem ausgebrannten Haus. In dem geschwärzten, verkohlten, Graffiti-verpesteten Haus, in dem ich mal gewohnt habe. Er ist in *meinem* Zimmer mit *meinen* Kleidern und *meinen* anderen Sachen. Er schaut in *mein* Badezimmer und sieht *meine* Toilettenartikel. Er wühlt in *meinen* sauberen Blusen und Pullovern. Er blättert in *meinem* Pass. Ich halte das nicht aus. Ich halte das nicht aus. Ich muss draußen bleiben, hier draußen im Freien. Dann seh ich ihn kommen. Ich weiß, dass er mich nicht kriegen kann, solang ich draußen bin. Es ist zu kalt für ihn.

Ich hab kein Geld, nur die paar Kröten, die ich auf der Party in den Hallen dabeihatte. So viel, wie man eben mitnimmt für ein Taxi und was zu trinken, und damit hat sich's. Mein ganzes Geld, das ich bei Bakhtiar verdient habe, ist auf der Post und mein Sparbuch ist im Haus. Oder inzwischen höchstwahrscheinlich schon in Graffitis Tasche. Ich muss irgendwo ein bisschen Geld herkriegen. Ich muss was essen, damit ich überleben kann auf den stinkenden, schmierigen Straßen und in den schmutzigen, staubigen U-Bahn-Stationen.

Mir tut vom Laufen schon alles weh. Meine Muskeln schmerzen und ich bin ganz steif. Auch wegen der Kälte. Mein Magen krampft sich zusammen und plagt mich mit der Angst und dem Wissen, dass Graffiti hinter mir her ist. Mein Gott, mein Gott, wie kann ich dem Schmerz entkommen und der Angst und *ihm*, und ich muss doch schlafen – aber ich kann nicht schlafen und ich bin auf der Straße und es regnet und stürmt und es ist dunkel und hier sind nur noch Betrunkene und Punker und Halbwilde. Ich hab heute an der Pizza-Bude am Leicester Square ein paar Stücke Pizza geklaut und bin gerannt und gerannt und gerannt, bis keiner mir mehr nachgeschrien hat. Mein Herz hat gehämmert und wehgetan und mein Magen hat wehgetan, aber ich war schon fast am Verhungern und ich muss essen.

Mehr als alles andere will ich jetzt nach Hause. Ich habe ganz schreckliches Heimweh, es ist wie eine Krankheit, die alle meine Gedanken auffrisst. In meinem Kopf ist gar nichts mehr außer Panik und dem verzweifelten Wunsch, nach Hause zu gehen. Aber ich habe beschlossen nicht zu gehen – jetzt noch nicht. Ich kann nicht gleich beim ersten Fehlschlag nach Hause rennen. Ich bin aus härterem Holz geschnitzt; ich will nicht, dass mein Vater und meine Mutter und Clem und Alice mich als deprimierten, ängstlichen, verdreckten Feigling sehen. Ich muss da durch. Ich muss beweisen, dass ich das packe. Ich lass mich nicht fertig machen von irgend so einem Messer schwingenden Idioten. Ich kann mich durchschlagen. Ich bin stark – merkt euch das! Ich werde allen zeigen, dass ich es allein schaffe, mein Leben meistere. Mich selbst durchs Leben schlage. So wie ich es will.

22. November

Er ist überall. Er kommt einfach überallhin. Jetzt ist er da drüben. Er ist gleich dort hinter mir. Er pirscht sich mit seinem Messer an mich heran. Aaaaah! Graffiti. Graffiti. Er schleicht sich in meinen Schlaf und ist Teil meiner Alpträume. Ich sollte nicht schlafen. Ich sollte überhaupt nicht mehr schlafen, nirgendwo, sonst kriegt er mich. Er weiß, wie er in meine Träume eindringt und in meine Gedanken. Graffiti. Meine Haut wirft Blasen, weil er sich darunter eingenistet hat. Er schlängelt sich durch mein Gehirn.

Ich muss ihm davonlaufen, muss in die Tunnel laufen, damit ich dort für eine Weile Ruhe vor ihm habe. Bis sie mich raussetzen. Die Wachmänner setzen mich raus. Morgens um halb drei setzen sie mich raus auf die Straße, wo er mich doch kriegen kann.

Gleich hat er mich.

Gleich hat er mich.

Lauf, Sarah, lauf!

Es ist kalt draußen. Eine eisige Kälte, die an der Haut haften bleibt und an den Haaren und den Ohren und Wimpern und Fingern und Zehen und an der Nase. Mir ist entsetzlich kalt. Ich zittere, zittere, zittere, aber nur so kann ich ihm entkommen, denn er liebt das Feuer. Er liebt die Wärme des Feuers. Wenn ich also draußen bin in der Kälte, kann er mich nicht kriegen.

24. November

Ich hab heute zu Hause angerufen, hab meine eigene alte Nummer gewählt und die Stimme von Alice gehört. Sie hat abgenommen. Aber ich hab nichts gesagt. Ich hab kein Wort gesagt, nur ihrer Stimme gelauscht und gelauscht, während mein Geld durchratterte und mir die Tränen übers Gesicht liefen und Alice immer wieder fragte: »Wer ist dort? Wer ist denn dort? Hallo?« Ich wollte ihre Stimmen hören, wollte hören, wie sie »Hallo« sagen, aber sie sollten mich nicht hören. Würden sie mich hören, dann wüssten sie, dass ich nicht klarkomme. Deshalb dürfen sie mich nicht hören. Sie sollen nicht erfahren, dass es schwierig ist. Schwer, sich allein durchzuschlagen. Zumindest nicht so einfach. Nachdem mein Kleingeld alle war, hab ich mich einfach auf den Boden gesetzt und geheult wie ein überdimensionales Baby. In meinem ganzen Leben hab ich mir meine Familie und mein Zuhause und meine Mutter noch nie so sehr herbeigesehnt. Und zugleich war ich noch nie so entschlossen durchzuhalten und mir und ihnen zu beweisen, dass ich es schaffe.

In den Tunneln ist es warm und ich weiß, dass ich hier sicher bin, sicher vor ihm, auch wenn es nicht kalt ist. Ich kann auf den Ratten von einer Station zur nächsten reiten und werd nie erwischt, weil ich zu clever bin für die Wachmänner. Zu clever für Graffiti. Ich muss jetzt nicht mehr so schnell rennen. Die Ratten sind auf meiner Seite. Sie waren es nicht von Anfang an. Zuerst waren mir ihre Löcher zu dunkel und zu tief. Jetzt nicht mehr. Sie sind sicher und warm und Graffiti zeigt sich hier nie. Ich kann den ganzen Tag auf den Ratten reiten und weiß, dass er mich nicht findet. Ich brauche nicht davonzulaufen, wenn ich auf den Ratten reite.

Ich finde immer noch keinen Schlaf. Keinen Schlaf. Keinen Schlaf. Er geistert immer noch durch meine Träume, meine Alpträume, mit seinem Messer. Sein Messer ist scharf und glänzt. Ich sehe es, wenn ich die Augen zumache. An den Rändern entlang züngeln Flammen. Mondstrahlen halten sich auf der Oberfläche. Fleas Gesicht schreit aus dem blitzenden Stahl. Er durchschneidet die Luft. Kommt auf mich zu. Bis in alle Ewigkeit? Kommt er auf mich zu.

25. November

Ich hab jemand getroffen. Ich glaube, es war einer von seinen Männern. Einer von Graffitis Männern, die er ausgeschickt hat um mich zu suchen. Mich zu kriegen. Heute. Einer seiner Leute. Die für ihn arbeiten wie die Wachmänner. Ich hab im Tunnel gesessen und auf den heißen Windstoß gewartet, der einem sagt, dass eine der Untergrundratten im Anmarsch ist. Man muss sie nicht hören oder sehen um zu wissen, dass sie kommen. Sie blasen einfach ihren heißen, abgasgeschwängerten Atem durch den Tunnel und dann weißt du, sie kommen. Sie grollen und poltern und eilen mit viel Getöse aus ihren Löchern und gleiten neben dir dahin.

Jedenfalls saß dieser Typ neben mir. Er rückt mir echt dicht auf die Pelle. Sein Knie berührt meines. Er stößt mich leicht mit der Schulter an. Als wären wir alte Kumpel. Er lächelt, aber es ist ein hartes, brüchiges Lächeln. Dann fragt er, wie ich heiße.

Aber ich bin clever. Zu clever für so was. Merkt euch das. Ich weiß, wie ich's anstell, zu überleben.

»Annie«, sag ich.

»Ach ja? Annie – wie noch?«

»Wie noch 'n paar andere«, gebe ich zurück und grinse übers ganze Gesicht. Wenn Graffitis Leute mich überrumpeln wollen, müssen sie früher aufstehen.

Er ist allerdings nicht sonderlich beeindruckt.

Er fängt an zu reden, ganz rau und heiser. Anzügliche Sachen. Unanständige Angebote. Als er mein Knie packt und zu sich rüberziehen will, trete ich ihm mit aller Kraft gegen das Schienbein und schreie. Und dann bin ich gerannt. Bin so schnell ich konnte aus dem Tunnel gerannt, damit er mich nicht einholt. Musste unter einem dieser Drehkreuze durchkriechen um rauszukommen. Und dann hat dieser dicke schwarze Wachmann mir nachgeschrien. Hat gebrüllt, ich soll zurückkommen. Bin ich aber nicht. Ich bin weitergerannt. Sarah ist weitergerannt. Um wegzukommen. Um zu entwischen.

Ich hatte Angst. Ich bin fast gestorben vor Angst. Das war knapp. Diesmal hätte Graffiti mich schnappen können. Er hätte mich kassieren können. Es hat lang gedauert, bis ich mich wieder beruhigt habe. Ich war den ganzen Tag total nervös, hab mir jeden Typ, der näher als zehn Meter an mich rankam, ganz genau angeschaut. Bin aufgesprungen und weitergerannt, wenn mir ein Gesicht nicht gefiel oder einer mich zweimal angeguckt hat.

28. November

Dieser Alte hat mir Geld gegeben. Hat es auf den Boden vor mich hingelegt. Ich hab dagesessen und mir die Füße angeguckt, damit ich die von Graffiti gleich erkenne, wenn er in den Tunnel kommt. Du musst ständig auf die Füße gucken. Nie in die Augen. Nie ins Gesicht. Sonst sehen sie dich und schauen runter. Das mögen sie nicht. Die Passanten erwarten nicht, dass du hochschaust, wenn du da unten zu ihren Füßen hockst, also musst du immer runtergucken. Es macht ihnen Angst, wenn du ihnen ins Gesicht schaust, wenn du ihnen von deinem Platz da unten in die Augen siehst. Also spurst du und schaust dir stattdessen die Füße an. Ich nehm an, ich würde Graffitis Füße erkennen an der Art, wie er langsam und kaltschnäuzig erst mal stehen bleiben würde, bevor er dann ganz zu mir herkommt. Nein, bitte nicht. Es macht mir

Angst. Denk nicht dran. Denk nicht an ihn, Sarah. Er macht mir Angst. Wenn er kommt, sterbe ich. Wie Flea. Wie der arme, tote, kalte Flea.

Aufhören. Hör auf damit. Geh weiter, immer weiter. Du schaffst es. Du kommst da raus. Du bist stark.

Das Geld – ich hab's ewig lang liegen lassen. Ich hab's lang bloß angeschaut um auch ganz sicher zu sein. Falls es ein Trick war, klar? Es hätte eine Falle sein können. Einer von seinen Leuten – wie neulich. Man kann nicht vorsichtig genug sein. Muss ständig auf der Hut sein. Vor allem, wenn Graffiti hinter einem her ist mit seinem Messer.

Jedenfalls hab ich mir nach einer Stunde oder so gedacht, dass es okay ist, und hab's genommen. Ich bin zum nächsten McDonald's marschiert und hab mir einen Big Mac mit Pommes bestellt. Ich hab alles aufgegessen, ganz, ganz langsam und mit Genuss, jedes einzelne heiße, salzige, köstliche, knusprige Pommes-frites-Stäbchen und jeden Bissen von dem warmen, würzigen, saftigen, tropfenden Käse-Hackfleisch-Burger, bis ich satt war. Noch nie in meinem Leben hat Essen so gut geschmeckt, so notwendig und lebenswichtig und köstlich. Ich konnte spüren, wie die Wärme langsam in mir hochgekrochen ist, bis meine Arme und Beine vor Lebenslust gejuckt haben. Und der Bauch hat mir auch nicht zu sehr wehgetan.

1. Dezember

Sie sah ein bisschen durchgeknallt aus, wie sie so dasaß, ganz zusammengekauert, wie ausgetrocknet, fast wie ein Kuhfladen. Sogar ihr Haar hatte die Farbe von einem Kuhfladen. Die Augen konnte man nicht sehen, weil sie die ganze Zeit auf den Boden gestarrt hat. Aber wahrscheinlich war das auch nicht nötig – sie waren bestimmt genauso fladenbraun. Eine halbe Ewigkeit saß sie da und wickelte einen kurzen, seidigen Faden um ihren Zeigefinger, löste ihn und wickelte ihn wieder drum.

Wenn sie nicht an meinem Platz gesessen hätte, wär sie mir überhaupt nicht aufgefallen. An meinem Lieblingsplatz zwischen den beiden großen Rolltreppen, die ewig lang runtergehen oder ewig lang rauf, je nachdem, auf welcher man steht. Der Platz gefällt mir darum so gut, weil man von hier aus sehen kann, wer runterfährt, und gleichzeitig, wer hochkommt. Und wenn die Füße von jemand Gefährlichem daherkommen, hat man immer noch eine ganze Rolltreppe, über die man verschwinden kann, weil man es zwischen zwei Rolltreppen überallhin nur halb so weit hat.

Die strategische Bedeutung des Platzes war an Flady allerdings reinweg vergeudet, weil sie die ganze Zeit bloß auf ihren Faden guckte. Das hätte sie auch sonst wo machen können. Dazu hätte sie mir nicht meinen Platz wegzunehmen brauchen.

Jetzt muss ich mir einen anderen guten Platz suchen. Das verdirbt mir den ganzen Tag. Ich kann jetzt nicht mehr dableiben. Rumstehen und warten. Aber woanders gefällt es mir nicht so. Nirgends bin ich so sicher wie dort. Ich komm den ganzen Tag nicht zur Ruhe. Hab den lieben langen Tag keine Ruhe zum Füße-Begucken oder zum Rattenreiten. Angenommen, sie arbeitet für Graffiti? Angenommen, sie gehört zu seinen Leuten? Die hinter mir her sind? Jetzt muss ich den ganzen Tag rennen und mich verstecken, rennen und mich verstecken.

Und alles wegen Flady.

2. Dezember

J*erusalemer Schlechtwetterhilfe.*

Das steht in großen, handgemalten, weißen Buchstaben auf dem Oberlicht über der Tür. Wie im Schaufenster einer Metzgerei, wo die Sonderangebote angeschrieben stehen. Die ersten eineinhalb Wörter sehen gut aus, gerade und gleichmäßig, aber wer immer sie gemalt hat, hat den Platz nicht gut eingeteilt, so dass ». . . terhilfe« ganz zusammengequetscht und krumm ist.

Ich bin heut früh schon mal da gewesen. Wollte mir die Sache mal anschauen. Ein Wohnheim nennen sie es. Ich bin drauf gekommen, weil im Bahnhof an der Scheibe einer Telefonzelle das Kärtchen klebte mit der Adresse und einer Freinummer, damit's nichts kostet, wenn man sie anrufen will. Die haben echt an alles gedacht. Sie lassen dich heiß duschen und geben dir ein gutes Essen. Vielleicht hilft's mir dabei, die verdammte Erkältung mit Kopfweh und Schmerzen in der Brust und einer triefenden Nase loszuwerden, die mich jetzt schon seit fast einer Woche nervt. Vielleicht schau ich heute Abend mal vorbei.

Später

Es ist drei Uhr morgens. Ich kann nicht schlafen in diesem Irrenhaus. Zu viele Verrückte um mich rum. Vielleicht liegt's auch an mir. Vielleicht bin ich die Verrückte. Ich hab seit Ewigkeiten nicht mehr in einem Bett geschlafen. Ich kann mich an das letzte Mal schon gar nicht mehr erinnern. Ich hab mich so dran gewöhnt, irgendwo zu pennen, überall, ob bei Tag oder bei Nacht, und aufzuspringen, sobald irgend so ein Verrückter daherkommt oder die Wachmänner in den Bahnhöfen mich weiterschicken. Ich schreib hier im Licht der Flurlampe, das durch die offene Tür hereinscheint. Es ist zu heiß hier drin. Heiß und stickig und eng. Draußen ist es kühler. Kühler und das Atmen fällt leichter. In dem Saal hier stinkt's und ich hab Angst vor den ganzen seltsamen Frauen, die da um mich rum schlafen. Sie schnarchen und rasseln und seufzen und grunzen und sabbern und werfen sich herum und schaukeln und schlucken und kratzen sich und glucksen und fluchen im Schlaf. Es hört sich an, als hätte sich gerade eine Herde Kühe zum Schlafen niedergelegt.

Der Ort hier ist ein Sammelplatz für sämtliche alten Penner und Saufbrüder und Junkies und Landstreicher und Berber und Huren, die es in London gibt. Und ich in dem ganzen Haufen mittendrin – einfach super!

3. Dezember

Die halbe Nacht hab ich schließlich doch noch geschlafen. Eine von den Helferinnen hier, Rosie heißt sie, hat mir was gegen meinen Brummschädel gegeben und mir eingeschärft, dass ich heute auf keinen Fall draußen schlafen soll, weil es sonst schlimmer wird und auf die Bronchien geht. Sie hat ewig lang mit mir geredet und ich hab ihr ein paar Sachen erzählt, die mir so passiert sind. (Wenn ich ehrlich bin, hab ich mich nicht getraut ihr alles zu erzählen. Vielleicht kennt sie ja Graffiti. Darum hab ich ziemlich viel weggelassen.) Ich hab auch ein bisschen geweint und sie hat mich in den Arm genommen, und nachdem ich mit ihr geredet hatte, ging's mir gleich viel besser. Morgen gibt sie mir ein bisschen Geld, damit ich ein paar Tage über die Runden komme, und sie hat gesagt, ich bräuchte mir nicht schäbig vorzukommen, falls ich meine Eltern anrufe, wenn alles schief läuft. Sie hat gemeint, sie wären bestimmt so froh überhaupt von mir zu hören, dass sie gar nicht merken würden, dass ich bloß anrufe um mich ein bisschen aufzumuntern.

Heute ist ein herrlicher Tag gewesen, sonnig und frostig und trocken. Die tief stehende weiße Sonne ließ alles strahlen und kein einziges Mal habe ich Graffiti an irgendeiner Ecke stehen und mir auflauern sehen. Was für ein guter Tag. Ich muss ihn abgeschüttelt haben. Dass ich in diesem Wohnheim war, hat ihn wohl für eine Weile von meiner Spur abgelenkt. Und mein Platz zwischen den Rolltreppen war auch noch frei. Ich bin durch den Park spaziert und hab auf der Schaukel geschaukelt. Es ist herrlich heute und mir geht's super. Und ich kann alles machen, was ich will. Ich kann hingehen, wo ich will, und mich treffen, mit wem ich will, und bleiben, wo ich will.

Gegen Abend hab ich angefangen zu frieren und meine Ohren und meine Finger und meine Nase wurden ganz rot und haben von der Kälte gekribbelt. Ich war den ganzen Tag draußen und fühl mich erfrischt. Als es dunkel wurde, bin ich in die Bahnhofstoilette gegangen und wollte mich unter dem Händetrockner aufwärmen, aber eine dicke Inderin in einer blauen Nylonschürze hat mich rausgeschmissen.

Ich schlaf wieder im Wohnheim heute.

5. Dezember

Der Deli ist zu. Ein graues Metallgitter hängt vor dem Eingang; ein Vorhang aus Stahl vom Boden bis zur Decke. Undurchdringlich. Er verrät nichts. Verschließt seine Geheimnisse. Hält Besucher fern.

Wo ist Bakhtiar?

Ich hab an dem Gitter gerüttelt. Ich hab gegen das Schloss getreten. Niemand ist auf mein Rufen hin gekommen, nur eine neugierige Katze ist aus einer Seitenstraße spaziert. Kein Bakhtiar. Kein Flea. Kein Deli. Kein Sandwichladen.

Nichts.

7. Dezember

Ratet mal, wen ich heut Abend im Wohnheim entdeckt hab – im Bett neben mir? Flady. Als ich vom Essen zurückkam, war sie plötzlich da, saß völlig zusammengeschrumpelt auf ihrem Bett und ließ ihr Stück Garn zwischen den Fingern schaukeln, den Blick nach unten gerichtet, den Kopf gesenkt. Fast wäre mir »Hallo, Flady« rausgerutscht, weil es für mich beinah so war, als würde ich eine Bekannte treffen, aber zum Glück ist mir gerade noch eingefallen, dass sie ja nicht wirklich so heißt, darum hab ich nur »Hallo« gesagt. Von ihr kam nichts. Sie saß bloß da. Aber ich hab gesehen, wie sie ganz kurz in meine Richtung geschaut hat, und da hab ich gewusst, dass sie mich gesehen hat.

9. Dezember

Rosie ist die Chefin im Wohnheim. Sie bestimmt, wer abends rein darf, und sie schaut sich alle auf ihrem kleinen Monitor an, bevor sie die Tür aufschließt und sie reinlässt. Nachdem sie alle Namen aufgeschrieben hat, geht sie durch die Zimmer und plaudert mit den Leuten. Sie ist echt nett, herzlich und kein bisschen überheblich. Sie arbeitet seit sieben Jahren in dem Wohnheim und kennt alle Stammgäste. Sie hat mich der blinden Catho vorgestellt. Catho ist ungefähr neunzig und ganz verschrumpelt und hat seltsam verkrümmte Füße, die in die falsche Richtung zeigen, so dass es aussieht, als hätte sie ihre Stiefel verkehrt rum an. Sie ist überhaupt nicht blind, denn nachdem Rosie uns bekannt gemacht hatte, rief sie mir hinterher, ich solle ihr noch etwas Suppe bringen – da war ich aber schon fast am anderen Ende der Kantine, also können ihre Augen so schlecht nicht sein.

Ich bin wirklich froh, dass ich heute Abend hier drin sein kann, denn draußen stürmt und regnet und graupelt und hagelt es und alles ist zugefroren. Würde mich mal interessieren, wo die arme kleine Flady mit ihrem glänzenden Fädchen heut übernachtet. Sie ist nicht im Heim und seit zwei Tagen hat sie keiner mehr gesehen.

Ich hab in sämtlichen Zimmern und in den Toiletten und den Duschen und in der Kantine und der Küche nachgeschaut, hab sie aber nicht gefunden. Ich hab sogar zweimal bei Rosie nachgefragt, weil sie Leute, wenn sie krank oder betrunken sind oder zusammengeschlagen wurden, manchmal in einem Extrazimmer hinter dem Büro mit nur zwei Betten drin unterbringt.

Aber da war Flady auch nicht.

Hoffentlich ist sie okay.

11. Dezember

Gestern Abend war's merkwürdig und auch irgendwie nett.

Ich war wieder ins Heim gegangen und hab mir das Bett beim Fenster gekrallt. Es ist das beste, weil man das Fenster aufmachen und die Nachtluft einatmen und zum Himmel hinaufschauen kann, und wenn man dann allen anderen im Zimmer den Rücken zukehrt, kann man sich einbilden, man wäre irgendwo, wo's schön ist, und nicht in einem harten Bett mit desinfizierten Laken in einem stinkenden Zimmer der Schlechtwetterhilfe mit tausend anderen Leuten, die verdammt noch mal auch woanders hingehen könnten. Aber man muss clever sein, wenn man das Bett beim Fenster erwischen will. Die Neuen wandern erst mal herum und prüfen die Betten. Schneller als die ist man allemal. Aber Stammgäste wie die blinde Catho galoppieren schnurstracks zu den guten Betten und schnappen sie sich. Du musst also aufpassen. Und eins steht fest: Cathos verkrüppelte Füße und ihre blinden Augen hindern sie nicht daran, sich das beste Bett im Zimmer zu krallen, sobald Rosie das Anmeldeformular für sie ausgefüllt hat. Du musst früh vor der Tür stehen und dein Formular schnell, schneller, am schnellsten ausfüllen, damit du dir deine Decke und dein Handtuch schnappen und vor den anderen zu den Schlafsälen spurten kannst.

Jedenfalls lag auf dem leeren Bett neben meinem das bekannte Stück Garn, zu einem unordentlichen Ball zusammengedreht. Ich hab's sofort erkannt und hab mich auf mein Bett gelegt und gewartet. Und tatsächlich, ein paar Minuten später kam Flady dann auch und setzte sich auf ihr Bett. Sie baumelte mit den kurzen Beinen, nahm das Garn und wickelte es eine halbe Ewigkeit lang auf und ab, auf und ab, und dabei huschte ihr Blick zu mir herüber und wieder weg, zu mir herüber und wieder weg.

Ich hab nichts gesagt, weil sie ja sowieso wusste, dass ich da war. Ein winzig kleines Lächeln kitzelte ab und zu ihre Lippen, huschte kurz über ihr Gesicht und verschwand wieder. Aber sie blieb sitzen, baumelte mit den Beinen, spielte mit ihrem Garn und ließ den Blick wandern. Ich wusste, was sie im Sinn hatte. Wusste, dass sie mit mir redete, aber ohne Worte. Wusste, dass sie mir pausenlos was erzählte. Sie spielte mit mir. Sie quasselte ohne Worte, während ich abwartete und lauschte und beobachtete.

Es machte Spaß und ich lächelte auch.

Nachdem ich gegessen und geduscht hatte, lag ich in der Dunkelheit auf dem Bett und roch das Desinfektionsmittel von den Decken und Kissen. In der samtenen Dunkelheit begann Flady zu sprechen. Zuerst merkte ich nicht einmal, dass sie angefangen hatte Worte zu benutzen. Den ganzen Abend hatte sie mit mir gespielt – mich angeschaut, mir ihr Stück Garn gegeben und es dann wieder weggeschnappt, meinen Jackenärmel berührt, ihren Blick eine Weile auf mir ruhen lassen, sich in der Kantine neben mich gesetzt, ihr halbes Würstchen auf meinen Teller gelegt und dafür ein halbes von mir genommen. Ihre Gegenwart war, als würde sie mit mir sprechen. Mit ihren Gesten erzählte sie mir Geschichten. Ihre Mimik beschrieb ihre Gedanken. Den ganzen Abend über hatte sie ohne Worte mit mir geredet, so dass ich, als sie dann wirklich sprach, den Unterschied zuerst gar nicht bemerkte. Ihre Stimme war hoch und flüsterleise.

Als ich endlich kapierte, was Sache war, verstand ich ihre Worte nicht. Es waren sinnlose Tonfolgen, die auf und ab gingen wie beim richtigen Reden, aber nichts bedeuteten. Was sie sagte, ergab keinen Sinn, es waren kehlige Laute, vermischt mit Bruchstücken von Kinderreimen und Märchen, Popsongs und Hits aus den Charts, Schnipsel von mathematischen Tabellen und Gedichten, die mich an die Schule erinnerten. Sie sang ein bisschen und wimmerte ein bisschen, lachte rau wie eine Elster und fing ganz plötzlich so erbärmlich an zu schluchzen, dass ich mich aufsetzte und sie erschrocken anstarrte.

Da schaute sie mich an, plötzlich wieder stumm und ernst, mit großen Augen, die im Licht der Flurlampe glanzten. Sie drehte sich in ihrem Bett um und machte die Augen zu und ich tat dasselbe.

13. Dezember

Flady kann einfach die Klappe nicht halten. Den lieben langen Tag tapert sie neben mir her, zwitschert und singt und schluchzt und murmelt sie ihr unverständliches Zeug, das mich noch die glatten Wände hochtreibt. Es würd mir ja nichts ausmachen, wenn ich verstehen würde, was zum Teufel sie brabbelt. Sie weist mich nämlich ständig auf Dinge hin und schaut sich Sachen an und zeigt mir Garnstückchen, die sie gefunden hat. Bei Garn gerät sie total aus dem Häuschen, vor allem, wenn es bunt ist oder sogar aus drei oder vier Fäden in verschiedenen Farben zusammengedreht, wie man es in den Handarbeitsabteilungen der Kaufhäuser bei den Sticksachen findet. Da flippt sie fast aus und hüpft herum und zieht an meinem Pulli und jault ganz aufgeregt wie ein junger Hund. Wenn sie mir was zeigt, trällert und zwitschert sie wie ein betrunkener Spatz und ihre Stimme geht auf und ab wie beim normalen Reden, aber es sind nur Wortketten. Quatsch. Blödsinn. Dummes Zeug.

Und es macht mich verrückt. Warum kann sie nicht ganz normal reden?

15. Dezember

Wir waren heute Abend im Theater. Ohne Witz. Im richtigen Theater mit echten Schauspielern. Ich war schon ewig nicht mehr im Theater. Es war super. Wir sind draußen vor dem *Barbican Centre* rumgelungert, wo sie irgendeine große Inszenierung gaben. In der Pause strömten die Besucher zu den Bars und ins Foyer, plauderten und fanden sich zu Grüppchen zusammen um über die Handlung zu diskutierten oder in ihren Programmheften zu lesen. Das war unsere Chance. Mit erhobenem Kopf und ohne nach rechts oder links zu schauen marschierten Flady und ich schnurstracks durchs Foyer und direkt in den Zuschauerraum. Kein Mensch will in der Pause noch Karten sehen, und die Angestellten hatten alle Hände voll zu tun, weil sie die Leute mit Getränken versorgen und sie an ihre Tische begleiten mussten, so dass sich keiner nach uns umgeschaut hat. Wir haben uns ganz oben direkt an der Wand zwei Plätze gesucht, wo keine Mäntel oder Taschen lagen, und gewartet, bis die Pause vorbei war und die Leute wieder reinströmten um die zweite Hälfte der Aufführung zu sehen.

Die Lichter gingen aus. Der Vorhang hob sich. Keiner beanspruchte unsere Plätze. Wir waren im alten Rom mit Sklaven und Streitwagen und tanzenden Mädchen. Aus Gasdüsen auf der Bühne kamen Rauch und Funken und züngelnde, orangefarbene Flammen und Stroboskop-Licht. Menschen wurden geboren und lebten ihr Leben und wurden ermordet, und das alles direkt vor uns auf der Bühne. Armeen zogen in den Krieg und randalierten und krakeelten. Länder wurden eingenommen und Könige entthront. Wir sind nicht dahintergekommen, welches Stück eigentlich gespielt wurde, und wir haben auch nicht so richtig kapiert, worum es ging, weil wir die erste Hälfte ja nicht mitbekommen hatten. Aber trotzdem war es fantastisch.

Nächste Woche gehen wir wieder hin.

16. Dezember

Ihr kennt die Spielregeln, Mädchen. Wer zuerst kommt, mahlt zuerst«, rief Rosie in die Sprechanlage. Ihre Stimme kam ganz verzerrt bei uns an. Es gab keinen Platz mehr im Wohnheim, sogar die beiden Notbetten hinter dem Büro waren belegt. Wir kamen nicht rein. Es war Hochsaison. Um die Weihnachtszeit krabbeln sie alle aus ihren Löchern und drängen ins Wohnheim.

Flady brüllte Rosie an, krakeelte herum und trat gegen die Tür und hämmerte mit den Fäusten dagegen. Rosie gab uns ein paar Hefeteilchen und Hamburger. Sie brachte auch noch zwei Becher mit Tee, aber Flady war wütend und schmiss die Becher an die Tür, wo sie natürlich kaputtgingen. Mit ihrem Tee hätte sie das ja meinetwegen machen können, aber nicht mit meinem. Ich hab keinen Tee gekriegt, nur weil sie so wütend war. Sie hat auch versucht sich an Rosie zu vergreifen, als sie rauskam und uns die Sachen brachte. Hat versucht sie an den Haaren zu packen. Das war blöd. Jetzt wurde Rosie auch wütend. Sie erteilte Flady Hausverbot für zwei Nächte wegen schlechtem Benehmen. Super. Zwei Nächte ohne ein Dach über dem Kopf, bloß weil Flady die Wut gekriegt hat. Ich kann sie nicht im Stich lassen und morgen Abend oder übermorgen allein ins Wohnheim gehen, also sitzen wir beide für die nächsten beiden Nächte auf der Straße.

17. Dezember

Flady schläft auf dem Boden in diesem Haus, das wir ausfindig gemacht haben. Drum herum ist alles eine einzige Baustelle und das Haus ist ganz neu. Die Hintertür hatte eine Glasscheibe mit weichem Kitt, also haben wir sie herausgehoben und sind reingekrochen. Ich mag den Geruch von frischem, feuchtem Kitt. Er riecht ein bisschen wie Anis. Ich hab einen kleinen Kittball zwischen den Fingern gedreht und dran gerochen. Wir haben kaputte Kisten gefunden, mit denen wir in dem Zimmer nach hinten raus ein Feuer gemacht haben. Dann haben wir ein bisschen von dem Whiskey getrunken, den Flady vorher in einem Laden hat mitgehen lassen.

Für mich war das in Ordnung, aber nicht für Flady. Ich bin mir ganz leicht und frei und warm und wie auf Wolken vorgekommen, aber die Wirkung auf Flady war anders. Wenn du im Dunkeln vor einem Funken sprühenden Feuer sitzt und Whiskey trinkst, geht dir alles Mögliche durch den Kopf. Flady bekam das heulende Elend. Whiskey getränkte Träume machen sie anscheinend traurig. Wobei das Traurigwerden ihr nicht schwer fällt, schließlich verbringt sie auch tagsüber einen Gutteil ihrer Zeit mit Schluchzen und Wimmern. Aber das jetzt war schlimmer. Sie heulte Rotz und Wasser, gewaltige Schluchzer schüttelten sie und ließen sie nach Atem ringen. Ich musste sie in den Arm nehmen wie ein Baby. Sie war ein kleines Mädchen, das nur aus Haut und Knochen bestand, und ich hielt sie im Arm und sie weinte.

Irgendwann fing sie auch an zu reden. *Richtig* zu reden. Richtige Wörter, kein unverständliches Zeug. Sie kann reden, will mir aber nicht sagen, warum sie's normalerweise nicht tut. Sie singt wie ein kleiner Vogel, aber ich hab sie verstanden. Nachdem sie einmal angefangen hatte, war sie kaum noch zu bremsen. Sie hat mir alles über ihre Familie erzählt und warum sie von zu Hause abgehauen ist. Sachen, die einem Angst machen können, über die Scheidung ihrer Eltern und wie ihre Mutter zu ihrem neuen Typ gezogen ist, der Tag und Nacht hinter Flady her war. Er ist weiß und dick und hat einen haarigen Schnauzer und haarige Hände (von den haarigen Händen hat sie immer wieder angefangen) und Flady ist klein und dunkelhäutig und sieht irgendwie zerbrechlich aus. Er hat sie nicht in Ruhe gelassen, sie ständig begrapscht und getätschelt. Er ist ihr durchs ganze Haus gefolgt, wenn sie allein waren, und hat Sachen mit ihr gemacht, ihr wehgetan. Sie hat versucht es ihrer Mutter zu sagen, aber ihre Mutter hat ihr nicht geglaubt und gesagt, sie soll nicht eifersüchtig sein und sich nicht wie ein verzogenes Gör benehmen. Das ist doch ungeheuerlich! Nicht eifersüchtig sein auf so einen alten Knacker, der sie aufs Kreuz gelegt hat, sobald sie allein waren. Das ist eine ganze Weile so gegangen, bis Flady die Schnauze voll hatte. Sie hatte Angst, er würde ihr ein Kind machen.

Da ist sie weggelaufen.

Sie ging weg. Ging weg und lief und lief und lief. Das ist jetzt schon Wochen her und seither war sie nicht mehr daheim. Hat auch nicht angerufen oder geschrieben. Hat nicht vorbeigeschaut und sie nicht besucht. Wenn sie an den neuen Freund ihrer Mutter denkt, kriegt sie immer noch Angst und fängt an zu zittern. Sie bekam sogar Angst, als sie mit mir darüber gesprochen hat. Nachdem sie mir alles erzählt hatte, rollte sie sich zusammen und schaukelte auf dem Zementboden vor und zurück, vor und zurück. Dabei spielte sie mit einem Stück Garn und brabbelte wimmernd Unsinn vor sich hin. Das mit anzusehen gefiel mir gar nicht. Es machte mir Angst. Sie wirkte richtig durchgedreht, wie sie so dahockte, zusammengerollt wie ein Baby, und mit sich selber sprach. Sie ist total am Ende – und sie ist nicht mal selber schuld. Wenn ich manchmal fix und fertig bin, weiß ich immerhin, dass ich mir das selbst zuzuschreiben hab. Ich kann niemand anderen dafür verantwortlich machen.

Irgendwann ist Flady dann eingeschlafen und ich warte jetzt einfach hier in der Dunkelheit in diesem leerem Haus, bis sie aufwacht. Was sie mir erzählt hat, macht mich so fertig, dass ich nicht schlafen kann. Ich sitze hier mit dem Rücken an der Wand und schreibe im Licht der orangefarbenen Straßenlampe. Warte und grüble und grüble und grüble.

18. Dezember

Es ist immer noch besser, um dieses Feuer hier herumzusitzen als im Bahnhof in einer Ecke zu hocken oder in einem leeren Haus auf dem Boden zu liegen und Flady neben mir zu haben, die wie durchgeknallt hin und her schaukelt. Der alte Mann in der Ecke, der die Füße in einer leeren Orangenkiste stehen hat, singt irgend so ein Lied von einem Seemann, der zur See gefahren ist und seine Liebste in der Heimat zurücklassen musste. Immer wieder versagt ihm die Stimme. Einmal ist sie ganz hoch, dann wieder ganz tief, schwankend und zittrig. Man könnte meinen, er weint.

Vielleicht weint er wirklich.

Vielleicht weint der alte Mann, weil das Lied so traurig ist. Mir ist auch nach Weinen. Weinen, weil ich traurig bin. Nicht wegen diesem bescheuerten traurigen Lied über den Seemann, sondern wegen Flady und weil mir kalt ist. Mir ist nicht nur kalt, ich friere entsetzlich. Auf diesem Betonboden friert mir noch der Arsch ab, und das, obwohl ich auf einer zusammengeklappten Schachtel sitze und eine Decke um mich herumgewickelt habe.

Zu acht sitzen wir um das Obstkistenfeuer herum und starren wie Zombies in die Flammen. Alle lauschen wir auf die zittrige, brüchige Stimme des alten Mannes in der Orangenkiste und ich glaube, jeder ist traurig wegen irgendwas, nur nicht wegen dem armen Seemann. Wir trinken aus einer Flasche, die ein Junge mit nur einem Auge herumgereicht hat. Es ist eine Ginflasche, aber das Zeug drin ist braun und schmeckt seltsam und ist wohl gar kein Gin. Flady hat sich an mich gelehnt, ihre knochige Schulter ist warm und tröstlich. Ihr läuft die Nase, so dass sie sie immer wieder gewaltig hochziehen muss, und ich spüre jede ihrer Bewegungen. Vorhin haben wir was Warmes zu essen bekommen von Leuten, die mit einem Lieferwagen angefahren kamen und Suppe und Brötchen und Kaffee verteilt haben. Dort haben wir auch die Decke bekommen und ich habe mir noch Aspirin geben lassen, weil mir der Schädel platzt.

19. Dezember

Als das Feuer aus war und es wieder kalt wurde und mein Gesicht nicht mehr brannte von den Flammen, kam der einäugige Junge herüber. Ich hab seine Fahne gerochen und an seinem Mantel die Straße. Er hatte einen schmutzigen Wattebausch über seinem kaputten Auge. Das andere war blutunterlaufen und wässrig und betrachtete uns von oben bis unten. Ich hab zuerst einen Schreck bekommen, weil ich plötzlich dachte, er gehört zu Graffiti, aber es hat sich herausgestellt, dass das nicht stimmt. Von einem Typ namens Graffiti hat er nie was gehört, meinte er, aber er schien Flady zu kennen. Oder sie zumindest schon mal gesehen zu haben. Er wollte wissen, wo wir die Nacht über bleiben, weil er nicht weit weg ein Zimmer habe, das warm sei und trocken. Er meinte, wir könnten mitkommen, wenn wir wollten. Hörte sich gut an. Ich war müde und wollte nicht, dass mir noch kälter wurde. Ich hatte irrsinnige Kopfschmerzen und es ging mir wie in der Nacht, als ich mit Flea auf dieser Party war. (Ist das wirklich erst einen Monat her? Mir kommt es vor, als wären Lichtjahre vergangen seitdem, als hätte ich inzwischen ein ganzes Leben gelebt.) Ich will nur schlafen, schlafen, schlafen.

Der Alte in seiner Orangenkiste war entweder eingeschlafen oder gestorben. Er war zusammengesackt, sabberte sich auf die Brust und sang nicht mehr. Von den anderen waren ein paar gegangen, ein paar andere hatten sich in ihren Schachteln und Decken bei dem rußigen Feuer zum Schlafen hingelegt.

Flady und ich beschlossen unser Glück mit Popeye, dem Glubschauge, zu versuchen.

Wie es sich herausstellte, war sein Zimmer in einer lausigen Bruchbude am Rand eines Fußballplatzes. Wir mussten durch eine Kellertür auf der Rückseite des Hauses reinklettern und über haufenweise Gerümpel steigen, bis wir in einer Küche rauskamen, wo der Boden ganz glitschig war. Es war stockfinster und roch nach fauligem Kohl, aber Popeye leuchtete uns mit einem Feuerzeug und zeigte uns den Weg. Zuerst hat er damit rumgespielt und es sich unters Kinn gehalten, so dass er in dem flackernden Licht aussah wie ein Gespenst und man richtig Angst kriegen konnte. Aber er sengte sich seine Bartstoppeln an und ließ einen Schrei fahren. Danach fand er es dann nicht mehr witzig.

Wir gingen nach oben, wo wir Stimmen hörten.

Er hat die Tür zu diesem Zimmer auf der

Rückseite des Hauses aufgemacht und plötzlich waren wir nicht mehr in einem stinkenden, dunklen, feuchten, alten Haus. Wir waren in einem Zimmer mit zwei anderen jungen Leuten, die herumlagen und sich unterhielten und tranken. Es war warm und überall brannten Kerzen auf leeren Bierflaschen. Das Zimmer roch nach Wachs und die flackernden Kerzen machten es mal dunkel, mal hell, dann wieder dunkel.

Jedenfalls saßen wir eine Weile nur so rum und hörten zu und wärmten uns auf. Die anderen rauchten und Flady und Popeye zündeten sich auch eine an, aber ich rauche nicht. Ich hab stattdessen eine Flasche Bier getrunken, die dieses Mädchen mir gegeben hat. Sie wollten wissen, wie wir heißen und woher wir kommen. Sie konnten kaum glauben, dass wir nicht regelmäßig Geld vom Sozialamt kriegen. Morgen beantragen wir Sozialhilfe. Popeye sagte uns, was für Fragen sie eventuell stellen und welche Antworten wir geben sollen. Es war spät, als wir endlich die Kerzen ausbliesen und uns auf Schlafsäcken zum Schlafen hinlegten.

21. Dezember

Popeye und seine Freunde sind echt super. Sie sind gestern mit uns aufs Sozialamt gegangen, und nachdem uns dieser sauertöpfische Typ, der den ganzen Tag hinter seinem Schreibtisch hockt und Formulare ausfüllt und seinen Job ganz offensichtlich zum Kotzen findet, ausgequetscht hatte, bewilligte er uns widerwillig regelmäßige Zahlungen. Flady musste wegen ihrem Alter lügen und sagen, sie wäre schon über sechzehn, und ich musste sagen, ich wäre mit meiner Familie von Dublin rübergekommen. Wir haben auch falsche Adressen angegeben, aber das spielt alles keine Rolle. Vom nächsten Freitag an kriegen wir Geld bar auf die Kralle und können damit machen, was wir wollen. Wir haben den Antrag auch grade noch rechtzeitig gestellt um in den Genuss der Weihnachtszulage zu kommen. Es ist einfach absolut super. Ich weiß nicht, warum ich das nicht schon vor Wochen gemacht habe. Wahrscheinlich hatte ich einfach keine Ahnung und dazu ständig diese Angst, dass mir einer auf die Schliche kommen könnte. Ich dachte, sie könnten rausfinden, dass ich von zu Hause abgehauen bin, und mich schnurstracks wieder nach Dublin zurückbefördern.

Wir bleiben noch eine Weile bei Popeye, weil es einfach toll ist in seinem Haus, toll, toll, toll, und weil die andern echt nett sind. Das Haus gehört natürlich nicht ihm; es stand leer und eines Tages sind er und sein Bruder Mickey da eingestiegen. Sie fanden ein Zimmer, in dem die Dielen nicht morsch waren und in dem nicht diese graue Pampe mit schwarzen Sprenkeln die Wände hochwuchs, und so sind sie geblieben. In den andern Räumen im oberen Stockwerk rumzulaufen ist gefährlich, weil überall der Fußboden durchbricht, aber in dem einen Zimmer und unten ist es okay. Wir können zwar das Klo nicht richtig benutzen, weil das Wasser abgestellt ist und es wahnsinnig stinkt da drin, aber neben der Kellertür ist ein Wasserhahn mit fließend kaltem Wasser.

Flady ist ganz durchgedreht vor Freude über die Bude. Sie wechselt ständig zwischen ihrem Spatzengezwitscher und dem beknackten Singsang, aber wenigstens hat sie schon eine ganze Weile nicht mehr geheult.

23. Dezember

Wir schmücken das Zimmer in dem Haus für Weihnachten. Sattar, Mickeys Freundin, kam heute mit einem riesigen Arm voll frischer Stechpalmenzweige und wir haben Stunden damit zugebracht, sie um die Fenster herum zu drapieren und an der Decke aufzuhängen. Popeye brachte von irgendwoher Sprühfarbe in Gold und Silber und Rot und wir haben die ganzen Wände und das Treppenhaus und die Türen mit »Fröhliche Weihnachten« voll gesprüht, bis das Haus richtig fröhlich und festlich aussah. Die alten Bierflaschen und Kerzen haben wir auch besprüht. Von dem Geruch der Sprühfarbe ist mir schlecht geworden und Schädelbrummen hab ich auch gekriegt, darum sind wir ein paar Stunden rausgegangen, bis alles getrocknet war.

24. Dezember

Heute haben Flady und ich unser erstes Geld von der Sozialhilfe gekriegt und haben damit eine Bustour durch London gemacht. Wir haben in *Paolos Pizza* beim »Essen-bis-zum-Abwinken-für-einen-Fünfer« zugeschlagen. Wir haben uns voll gestopft, bis uns schlecht war, und dann einen Schaufensterbummel gemacht.

Die Läden sind wirklich hübsch dekoriert mit Girlanden und Stechpalmenzweigen und Nikoläusen und Päckchen und Karten. Sie riechen nach Wachs und frischem Leder und gutem Essen und Wärme. Wir sind in einem Warenhaus durch die Spielzeugabteilung gegangen und in einen Laden, wo sie Weihnachtsdekoration verkaufen. Es ist alles wunderschön. Ich bin noch nie an Heilig Abend durch die Läden spaziert ohne etwas Bestimmtes besorgen zu müssen. Normalerweise brauche ich tausend Geschenke und massenweise Karten und alles ist ausverkauft, weil ich es wieder mal auf die lange Bank geschoben hab, so dass ich schließlich wie ein kopfloses Huhn herumflitze und irgendwelche dämlichen Geschenke kaufe, nur damit ich was habe. Diesmal war es anders. Ich konnte meine Zeit damit zubringen, all den anderen kopflosen Hühnern zuzuschauen.

Flady schnatterte und berührte sämtliche Glaskugeln und die glitzernden Perlenschnüre. Sie weinte ein bisschen, als sie die hausgemachte Schokolade roch und die Krippenfiguren befingerte, aber alles in allem hat's Spaß gemacht. Ich war so müde, als wir zurückkamen, dass ich wie ein Stein auf meinen Schlafsack fiel, und vielleicht war das ganz gut so. Wegen dem ganzen schönen weihnachtlichen Zeug und weil Heilig Abend ist, muss ich nämlich immer wieder an zu Hause denken …

Vielleicht hätt ich Lust, nach Weihnachten nach Hause zu gehen und noch ein bisschen von dieser heiligen, gesegneten Zeit mit meiner eigenen Familie zu verbringen. Ich glaube auch, dass ich die schlimmste Zeit mit Graffiti überstanden habe – wahrscheinlich ist er inzwischen untergetaucht und hat vergessen, dass er eigentlich hinter mir her ist. Nach Hause zu gehen wäre zwar immer noch egoistisch, aber nicht mehr ganz so schlimm, weil ich nicht mehr darauf angewiesen bin, dass sie mich retten. Ich hab mich selbst über Wasser gehalten und ein winziger Teil von mir kann fast sagen, dass er glücklich ist.

25. Dezember

Weihnachten! Ich kann's kaum glauben, dass ich am Weihnachtsmorgen in einem Schlafsack auf dem Boden eines Abbruchhauses in London liege. Ich hab das Gefühl, ich wäre um Weihnachten betrogen worden, aber daran bin ich schließlich selbst schuld.

Heute Mittag gehen wir alle zur Jerusalemer

Schlechtwetterhilfe zum Weihnachtsessen. Wir haben uns gestern in die Liste eingetragen und müssen um halb eins dort sein.

Später

Es gab aufgetaute Truthahnpastete und Brathähnchen mit allem Drum und Dran und ich platze gleich. Es ist super. Ich sitze mit Flady in dem großen Aufenthaltsraum vor dem Fernseher. Popeye und Mickey und Sattar sind nach dem Essen wieder gegangen. Vielleicht sehen wir uns noch, vielleicht aber auch nicht, falls wir beschließen heute hier zu übernachten. Im Moment fühle ich mich außer Stande, auch nur einen Meter zu gehen, und das wird sich in der nächsten Stunde sicher nicht ändern.

Später ruf ich zu Hause an. Ich hab mit Rosie drüber gesprochen und sie gibt mir das Geld, aber ich bin jetzt schon so nervös, dass ich wünschte, ich hätte nicht so viel gegessen!

26. Dezember

Ich hab gestern Abend daheim angerufen und in den Hörer gelauscht und gewartet, bis Clem abnahm und sich meldete und wartete und lauschte. Mein Geld ratterte durch und plötzlich fragte Clem: »Sarah, bist du's?« Das war zu viel. Es hat mir Angst gemacht und mich gleichzeitig geärgert. Er hat es gewusst, das muss man sich mal vorstellen! Er hat gleich gewusst, dass ich es bin. Er hat gespürt, dass ich am anderen Ende der Leitung die Ohren spitze und atme. Dann haben wir alle zugleich geredet und geweint. Dad war am Nebenanschluss im oberen Stock und Mum rief unten ins Telefon. Sie wollten, dass ich sofort heimkomme. Sie wollten mir Geld schicken und Tickets, herkommen und mich persönlich abholen. Sie wussten, dass ich in Bakhtiars Deli gearbeitet und bei den Afandis gewohnt hatte. Woher wissen sie das alles? Wer hat ihnen gesagt, wo ich war und was ich gemacht hab? Ich mit Sicherheit nicht, ich hab ja, seit ich weg bin, nicht mehr mit ihnen gesprochen. Ich war einigermaßen verwirrt darüber. Alles ging plötzlich so schnell. Das raste und nahm seinen Lauf, ohne dass ich das Tempo bestimmen konnte. Plötzlich hing ich auf einem außer Kontrolle geratenen Karussell, das sich in einem solchen Affenzahn drehte, dass mir schlecht wurde. Mum sagte sogar, sie hätten meinen Rucksack und die Kleider und meine Papiere zugeschickt bekommen. Jetzt würden sie sich natürlich fragen, wo ich untergekommen sei, und sie seien schon ganz krank vor Sorge. Sie wollten meine neue Adresse haben. »Wo bist du? Bei wem wohnst du?« Mum wollte sogar wissen, was ich anhabe. Herrje!

Es passt mir nicht, dass mir gleich wieder alles aus der Hand genommen wird, bloß weil ich angerufen habe. Es passt mir nicht, dass sie alles über mich wissen, bevor ich die Chance gehabt habe, es ihnen selber zu erzählen.

Nachdem ich aufgelegt hatte, war ich fix und fertig. Nicht weil ich traurig war oder Heimweh hatte oder mich einsam fühlte, sondern weil ich plötzlich gar nicht mehr mit ihnen reden wollte. Ich hatte angerufen und mit ihnen gesprochen und ihnen ein schönes Fest gewünscht, aber sie wussten sowieso schon alles über mich. Ich bekam eine Stinkwut. Wann hab ich endlich mal ein bisschen Privatsphäre und kann das machen, was *ich* will? Und wie haben sie das alles überhaupt rausgekriegt?

Ich brauche Zeit zum Nachdenken. Will mir einen Plan zurechtlegen. Den nächsten Schritt überlegen. Ich hab keine Lust, dass sie die Zügel wieder in die Hand nehmen und bestimmen, wo's langgeht, nur weil ich angerufen habe. Ich müsste so viel erklären und mich rechtfertigen und so viele Fragen beantworten. Ich weiß nicht, ob ich zu dem allem schon bereit bin. So ausgequetscht zu werden. Ich hab keine Lust auf die ganze Ausfragerei und das große Wiedersehen und die Fahrt nach Dublin.

27. Dezember

Flady geht vielleicht wieder zurück. Nicht zurück nach Hause, aber vielleicht geht sie irgendwohin, wo sie ihr helfen können. Eine Sozialarbeiterin, die Rosie geholt hatte, hat den ganzen Abend mit ihr gesprochen.

Später

Flady hat mir im Dunkeln was zugeflüstert. Im Dunkeln, im Wohnheim, darüber, wie's mit uns weitergehen soll. Sie will nirgendwo hingehen, bevor ich nicht weiß, was ich tun werde, aber dann will sie's sich vielleicht überlegen. Die Sozialarbeiterin kommt morgen wieder, aber Flady wird nicht mehr da sein – morgen nicht. Wir bleiben zusammen. Sie hat die Nummer der Sozialarbeiterin auf einem zerknitterten Zettel in der Hosentasche, sie kann sie also anrufen, wenn sie es will. Aber erst mal verschwinden wir.

28. Dezember

Wir sind heute Morgen ganz früh gegangen, vor halb acht, sobald wir unser Frühstück hatten. Es war noch dunkel und der Bürgersteig glitzerte vom Frost. Eine Stille lag über allem, ein Atemanhalten, bevor der Tag mit seiner Hektik anbrach. Ich hatte das Gefühl, als sei ich der Stadt einen Schritt voraus, während ich durch ihre Straßen schlich und sie noch schlief. Ich bekam was Privates mit, was normalerweise kaum einer sieht, war wie ein heimlicher Beobachter.

Wir hatten uns die Taschen mit Brötchen und Marmelade und Bananen voll gestopft und die Jerusalemer Schlechtwetterhilfe verlassen. Flady und ich wollten rausfinden, was mit Flea passiert ist. Zuerst sind wir zu Bakhtiars Deli gegangen, aber da war immer noch das Eisengitter vor der Tür. Im oberen Stock waren die Vorhänge zugezogen. Vielleicht war es noch zu früh und Bakhtiar hatte den Laden einfach noch nicht geöffnet. Geklopft haben wir nicht. Später, wenn der Tag richtig angefangen hat und es rundgeht in der Stadt, gehen wir noch mal hin und schauen nach – ich würde gern hören, was in der Zwischenzeit so los war.

Wir sind auch zum Haus der Afandis gegangen, aber ganz bis dahin hab ich's nicht geschafft. Mir war schlecht und der Hals hat mir wehgetan und ich war ganz zittrig, also bin ich am Marktplatz stehen geblieben und hab mit der Schuhspitze vorsichtig den Eisfilm auf einer Pfütze geknackt, während Flady zum Haus gegangen ist. Kurz darauf war sie wieder da, hat gegrinst übers ganze Gesicht und ist rumgehopst. Das Haus ist wieder hergerichtet, hat neue Fenster, einen frischen Anstrich, ist keine angekokelte Ruine mehr. Und keine Spur von Graffiti.

Aber nicht heute. Heute nicht. Heute kann ich da nicht hin. Morgen vielleicht. Vielleicht geh ich morgen hin und rede mit Mrs. Afandi. Mal sehen. Ich verspreche nichts.

Heute Abend denk ich erst mal drüber nach.

Am Nachmittag sind wir noch mal zu Bakhtiars Deli gegangen. Zuerst hat's wieder so ausgesehen, als sei der Laden zu, aber dann fiel es mir wieder ein – wahrscheinlich saß er hinten und hat selber zu Mittag gegessen und dabei Radio gehört und die Zeitung gelesen wie immer. Ich hab ein bisschen an der Tür gerüttelt und seinen Namen gerufen. Flady zwitscherte vor sich hin und hopste herum. Es hat lang gedauert, bis er endlich in seinen alten Hausschuhen aus dem Hinterzimmer geschlurft kam. Er grummelte vor sich hin und sein Gesicht sah ganz zerknittert aus. Aber als er mich sah, war er wie umgewandelt. Wow! Was da alles an irren Gefühlen über sein Gesicht huschte, wie die Schatten von Wolken, die über einem windgepeitschten Feld Fangen spielen. Er machte die Tür auf und stand bloß da und schaute mich an.

»Du kommst schon wieder zu spät«, schimpfte er und es war wie früher. Dann schaute er mich von oben bis unten an. »Und so wie du riechst und aussiehst, kriegst du den Job nicht zurück.«

Wir gingen rein und bekamen Sandwiches und becherweise Tee. Und dann redeten wir und erzählten uns gegenseitig, was passiert war. Für Bakhtiar waren es ein paar schlimme Wochen gewesen, als Flea und ich eines Morgens einfach nicht mehr aufgetaucht waren.

»Ich hätte euch mit Vergnügen den Hals umgedreht, wenn ihr mir in die Finger gekommen wärt«, brummte er, aber ich sah ihm an, dass er jetzt drüber weg war. Zwei neue Leute arbeiteten jetzt für ihn, erzählte er, und, nein, Flea habe sich nicht bei ihm gemeldet. Aber Bakhtiar wusste, dass ihm irgendwas Schlimmes zugestoßen war. Die Polizei war ein paar Tage danach aufgekreuzt, hatte Fragen gestellt und den Laden durchsucht, aber nichts rausgelassen.

Bakhtiar hörte schweigend zu, als ich ihm von Graffiti erzählte, von meinem Leben auf der Straße und wie ich Flady getroffen hatte. Seltsamerweise wusste er von Graffiti und schüttelte den Kopf. Zornesfalten erschienen auf seinem Gesicht, aber er sagte nichts dazu.

Während wir redeten, schlief Flady auf dem Sofa ein und schnarchte laut. Bakhtiar hat uns schließlich erlaubt eine Nacht im Hinterzimmer zu schlafen, unter der Bedingung, dass wir kein Essen vom Deli klauen. »Aber du kommst hier nicht mehr rein zum Arbeiten«, sagte er noch, bevor er zum Schlafen nach oben ging, »du bist zu unzuverlässig.«

29. Dezember

Wir haben uns ganz früh heute Morgen von Bakhtiar verabschiedet, voll gestopft mit Hotdogs und vielen guten Wünschen. Ich glaube, Bakhtiar hat sich gefreut zu sehen, dass ich noch lebe und gesund und munter bin, aber als wir dann wieder gingen, war er auch ganz froh.

Nach seiner Herzlichkeit war der Empfang bei Mrs. Afandi eine ganz andere Geschichte. Zuerst hat sie mich nicht mal erkannt. Ich musste ihr sagen, wer ich bin. Ich musste ihr mein Zimmer zeigen, beweisen, dass ich wusste, wo es war. Ich hab ihr gezeigt, dass ich mich in ihrem Haus auskenne. Sie hat mich immer nur angeschaut. Mich richtiggehend angestarrt. Und Flady hat sie auch angeschaut. Als ihr Gesichtsausdruck sich plötzlich veränderte, als sie zornig wurde und einen Schrei ausstieß, wusste ich, dass sie mich endlich erkannt hatte. Sie schnappte sich ihr jüngstes Kind, das auf dem Boden herumkrabbelte, und schob mich zur Haustür. Ich hab sie angeschrien, sie soll doch einen Moment warten und mir sagen, was passiert ist und ob meine Familie sich bei ihr gemeldet hat. Sie hielt einen Augenblick inne, huschte dann nach oben und kam mit Post zurück – mit zwei Briefen. Dabei wiederholte sie die ganze Zeit, dass mein Zeug weg sei, schon vom ersten Tag an, als ich ihr Haus verlassen hätte, und dass jetzt jemand anderes in meinem Zimmer wohnen würde. Mrs. Afandi war meine Sachen losgeworden. War mich losgeworden. Hatte mich aus ihren Gedanken und ihrem Haus gedrängt. Und jetzt versuchte sie mich aus ihrem Flur zu drängen. Geh weiter. Geh weg. Raus. Raus. Sie hatte mein Zimmer an jemand anderen vermietet. Sie hatte mich vergessen.

Meine Sachen der Polizei gegeben. Die war nämlich gleich am selben Tag, als ich ging, gekommen um abzuklären, wie das Feuer entstanden war. *Der Polizei.* Das ist doch nicht zu fassen! Jetzt weiß ich wenigstens, wer meine Eltern über alles aufgeklärt hat – die Polizei. Ich kann da nicht hin. Kann nicht zur Polizei. Sie müssen alles über mich wissen, sie haben seit November meine Sachen. Sie würden sich Flady schnappen. Was soll ich machen? Was soll ich bloß machen?

Ich saß da und hab versucht nachzudenken. Saß mit Flady im McDonald's und hab an den Briefen gerochen. Sie befühlt. Sie gestreichelt und in der Hand gehalten und sie herumgeschaukelt. Das hat mich getröstet. Die Schrift auf einem war krakelig und schief und schludrig. Er trug einen englischen Poststempel. Das Datum war nicht zu entziffern, doch nach den Flecken auf dem Umschlag und den Kaffeeringen zu urteilen muss er eine ganze Weile bei Mrs. Afandi herumgelegen haben. Die Lasche war zugeklebt. Ich öffnete sie langsam und linste hinein. Flady wartete. Schließlich hab ich den Brief ganz schnell rausgezogen und aufgefaltet.

Er war von Flea. Von Flea! Ich fass es nicht. Er war die ganze Zeit okay. Er lebt. Das Messer hat ihn nicht getötet. Graffiti hat ihn nicht umgebracht. Es geht ihm gut. Es geht ihm besser. Er ist nicht tot. Er ist gesund und die Wunde ist gut verheilt. Ich las den Brief zu Ende.

Seine Freunde brachten ihn ins Krankenhaus,

wo man ihn zusammengenäht und geflickt und wieder heil gemacht hat. Er ist nicht mehr in London. Ist nach Norden gegangen. Er hat mir in seinem Brief eine Telefonnummer gegeben und ich soll ihn anrufen. Er würde gern hören, wie's mir geht. Er schreibt, dass Graffiti auch nicht mehr in London ist, dass er kurz nach der Geschichte mit Flea abgehauen ist, weil die Polizei hinter ihm her war. Wegen Brandstiftung und mutwilliger Zerstörung. Der kommt nicht zurück, hat er geschrieben. Der sucht nicht mehr nach dir. Reg dich ab, hat er geschrieben und dann seinen Namen druntergesetzt.

Jetzt weiß ich es also.

Jetzt brauch ich nicht mehr wegzurennen.

Ich kann mich abregen.

Ich kann stolz sein.

Ich hab überlebt.

Ist das zu fassen? Ich renne die ganze Zeit herum wie ein kopfloses Huhn und hab Angst vor Graffiti und seinem Messer, während er sich's in irgendeiner anderen stinkenden Stadt in England, eine Million, eine Billion Meilen von hier, gut gehen lässt. Weil ich mir eingebildet hab, ich würd ihn überall sehen, ist er durch meine Träume gegeistert und hat mich auch tagsüber verfolgt. Und dabei war er's gar nicht! Der Typ im Bahnhof und der alte Mann, der mir Geld hingelegt hat, und Popeye und auch Flady – keiner kann je für ihn gearbeitet haben. Wahrscheinlich haben sie nie im Leben von ihm gehört. Das war alles ganz allein mein Ding. Ich alter Angsthase hab mir Gespenstergeschichten ausgedacht, die mich nicht haben schlafen lassen.

Aber jetzt weiß ich Bescheid. Jetzt weiß ich, dass Flea okay ist und dass ich auch okay bin. Jetzt kann ich mich entspannen und mich abregen.

Den anderen Brief hab ich erst mal noch zugelassen. Ich kannte die Schrift, ordentliche Druckbuchstaben, ein blassblauer Umschlag, abgestempelt in Dublin. Er war von Clem. Ich hab ihn in meine Jackentasche gesteckt. Den les ich ein andermal.

31. Dezember

Wir sind auf dem Amt, wo Fladys Sozialarbeiterin angestellt ist, und sie redet in dem kleinen Büro hinten mit ihr. Es regnet wie aus Kübeln und meine Jeansjacke hängt zum Trocknen über dem Heizkörper, weil sie völlig durchgeweicht war. Der Gestank von dem trocknenden Stoff ist eine Sache für sich! Ich bin froh, dass wir ausgemacht hatten heute hierher zu kommen. Das Wetter ist nämlich ins absolut Eklige umgeschlagen. In den letzten paar Tagen war es noch okay, aber jetzt stürmt es richtig.

Ich habe Clems Brief gelesen. Ich hab ihn gelesen und noch mal gelesen und noch mal. Inzwischen sieht er aus, als hätte ich ihn schon fünf Jahre in der Tasche, obwohl es nur zwei Tage sind. Er ist ganz fleckig und speckig und zerknittert. Clem hat den Brief geschrieben, lange bevor ich an Weihnachten angerufen hab.

Clem geht es gut. Es geht ihnen allen gut. Aber sein Brief ist tot. Trocken. Er passt überhaupt nicht zu Clem. Bloß Feststellungen und Fragen. Kein Betteln. Keine Gefühle. Keine Wut. Keine Freude darüber, dass er jetzt irgendwie eine Adresse von mir hat. Nichts. Aber ich weiß auch gar nicht, was ich eigentlich erwartet habe. Ich meine, wie viel Gefühl kann man in einen Brief an jemand legen, der einen im Stich gelassen hat und vier Monate nichts von sich hat hören lassen? Und wie viel kann man schreiben, wenn man nicht weiß, wer den Brief liest und wann?

Vielleicht bin ich es, die tot ist, ausgetrocknet und tot innen drin, so wie ich es von Flady dachte, als ich sie zum ersten Mal sah. Clem will wissen, wie meine neue Adresse in London ist; er weiß, dass die, an die er schreibt, nicht mehr stimmt. Er stellt jede Menge Fragen, fast schon wie bei einem Verhör. Das gleiche Zeug, das sie mich auch am Telefon gefragt haben – wo ich bin und mit wem und wie ich zurechtkomme. Aber er sagt nicht viel, nur dass es allen gut geht und dass ich bitte anrufen oder schreiben oder zurückkommen soll.

Trotzdem tut es gut, den Brief zu lesen. Eine Stimme von daheim zu hören. Aber es ist auch komisch. Total merkwürdig irgendwie. Es ist, wie wenn man tagelang auf einem Schiff war.

Wenn man dann an Land geht, fühlt sich der feste Boden unter den Füßen erst mal seltsam an. Man muss sich erst wieder dran gewöhnen. Vielleicht war ich wochenlang auf einem Schiff, bin von den Wellen herumgeschaukelt und durchgeschüttelt worden und jetzt betrete ich wieder festen Boden. Es wird eine Weile dauern, bis ich mich daran gewöhnt habe. Ich hab jetzt Seemannsbeine. Ich kann das Schwanken und Schütteln aushalten. Ich kann das Gleichgewicht halten und bleibe aufrecht stehen. Manchmal gefällt es mir sogar.

Dann kam Fladys Sozialarbeiterin raus und hat gefragt, ob sie mit mir reden könne. Flady hat sich hingesetzt und ich bin mit nach hinten ins Büro gegangen. Ich hatte keine Ahnung, was sie will. Sie ist schließlich nicht meine Sozialarbeiterin und ich hab nichts mit ihr zu schaffen. Aber sie hatte mir eine Menge zu sagen – Sachen, die ich nie erwartet hätte. Flady meinte, ich hätte ihr geholfen eine Zeit zu überstehen, in der es ihr echt dreckig ging. Und Rosie von der Schlechtwetterhilfe hätte ihr gesagt, ich könnte gut mit den andern Leuten dort reden und ihnen zuhören. Ich bin von einer Verlegenheit in die andere gestolpert. Jedenfalls hat sie mich schließlich gefragt, ob ich schon mal dran gedacht hätte, mit Obdachlosen zu arbeiten, in einem Heim oder auf der Straße – dass ich selber auf der Straße gelebt und entsprechende Erfahrungen hätte, wäre schon mal ein großer Vorteil für mich. Wow! Ich wusste einfach nicht, was ich sagen sollte. Ich? Geeignet für so einen Job? Da hab ich ganz schön was zum Nachdenken.

1. Januar

Neujahrstag! Wir sind in dieser Einrichtung, die sich »Caritas-Haus« nennt und für junge Leute ist, die zwischen dem Weglaufen und der Rückkehr nach Hause stehen. Es sind außer uns noch drei andere im Haus, aber im Moment sind sie nicht da. Ich hab heute Morgen lange gebadet und meine Haare gewaschen. Meine Jeans und meinen Pulli hab ich auch gewaschen. Es ist ein schönes Gefühl, saubere Klamotten anzuziehen, nachdem man lang in der Wanne gelegen hat. Ich glaube, Haut ist dazu gemacht, eingeseift und gewaschen und dann von frisch duftender Baumwolle zärtlich eingehüllt zu werden. Aber nur, wenn man sich im Haus aufhält.

Dreck und Schweiß und Öl und getrockneter Regen und die Straßen der Stadt hinterlassen ein Jucken auf deiner Haut, das du, wenn du draußen bist, wenn dir der Wind um die Nase weht und du herumläufst, gar nicht so merkst – da ist es wie eine Schutzschicht. Aber wenn du dann mal für eine Weile drinnen bist, juckt es dich von der Wärme und der Trockenheit und dir wird heiß und du fühlst dich unwohl. Ich glaube, ich mag beides – drinnen sein und frisch gewaschen genauso sehr wie draußen sein und eingehüllt von dieser Schicht. Beides ist genau richtig in der jeweiligen Umgebung.

In der Ecke steht ein riesiger Christbaum, alles riecht nach Tannennadeln. Flady wird erst mal eine Weile hier bleiben, bis die Sozialarbeiterin etwas Passendes für sie findet, wo sie sich wohl fühlen kann. Nach Hause zurück geht sie jedenfalls nicht.

Ich weiß noch nicht genau, was mit mir wird – nicht weil ich darauf warte, dass die Sozialarbeiterin was für mich findet, sondern weil ich darauf warte, dass ich weiß, was ich will. Es dauert eine Weile, bis ich die Antwort darauf habe. Es ist, als würde mein Verstand, der versucht eine Entscheidung zu treffen, nicht zu mir gehören. Er denkt alle Möglichkeiten durch und wägt alles ab. Manchmal wache ich auf und wünsche mir nichts mehr, als daheim zu sein, wieder zur Familie zu gehören und mit allen klarzukommen, und der Wunsch begleitet mich dann den ganzen Tag. Es wäre nett, alle mal wieder zu sehen. Eine gewisse Zeit mit Mum und Dad zu verbringen. Schulfreundinnen anzurufen und zu hören, was sie so treiben. Mich zu wärmen an der Reaktion meiner Familie und zu testen, wie ich selber reagiere.

Aber manchmal wache ich auf und wünsche mir noch ganz lang Zeit zu haben um allein herumzuziehen und jeden Tag neu zu entscheiden, was ich tun will. Mir gefällt das Leben so, wie es jetzt ist. Graffiti ist weg, ich muss mich also nicht länger verstecken. Flea lebt, ich muss mich also nicht länger um ihn sorgen. Es *gefällt* mir, draußen zu sein, wenn es frisch und schön und sonnig ist. Und ich bin gern in den Unterkünften, wenn es regnet und stürmt. Ich hab Lust, mal wieder ein paar Tage mit Mickey, Sattar und Popeye im Haus zu verbringen. Ich glaube, am besten gefällt mir, dass ich wählen kann, ob ich in einem Haus oder unter freiem Himmel sein will, ob ich drinnen oder draußen schlafen will, ob ich will, dass mein Körper sich seinen eigenen Mantel aus Öl und Schweiß und Schmiere zulegt oder ob ich alles runterwaschen will.

Und ich warte gern darauf, dass sich mein Verstand entscheidet, was er will, dass er die richtige Entscheidung für mich trifft. Ich bin diejenige, über die er entscheidet, die Sklavin seiner Wünsche. Aber ich bin getrennt von ihm, bin für mich. Mein Verstand wird für mich entscheiden; ich muss abwarten, was er will. Egal wie er sich entscheidet, ich werde mich fügen und am Ende ganz froh sein damit.

Dritter Teil

Das Meer war kabbelig und stahlblau. Und bestimmt sehr kalt. Sarah wollte an Deck bleiben, wo die Gischt ihren salzigen Geschmack auf den Lippen hinterließ und die Brise ihr durchs Haar wehte und sie erfrischte. Die walisische Küste war längst außer Sichtweite und die irische noch nicht zu sehen. Um sie herum war nichts als die kalte See ohne jedes Land – so weit das Auge reichte nur grünes Wasser, das vor den steil aufragenden Schiffsflanken zurückwich um dann in dunklen, aggressiven Wellen mit cremigen Schaumkronen obendrauf wieder näher zu kommen. Es faszinierte Sarah, diese gleichmäßige Bewegung zu beobachten, die einmal bedrohlich und ein andermal sanft und beruhigend wirkte. Sie beugte sich weit über die Reling, damit sie sehen konnte, wie der Bug des Schiffes die Wellen durchschnitt, sie in einem bestimmten Winkel kreuzte und zu kleineren Wellen zerteilte, die zischten und spuckten und wütend gegen den Schiffskörper krachten. Mehrmals begegnete die Fähre anderen Schiffen, die den Kanal überquerten – Passagierschiffe und Fischerboote, kleine Motorboote und schlanke Segelboote, deren große Segel sich am Wind blähten. Doch die meiste Zeit waren sie allein auf dem Wasser.

Sarah war nicht die Einzige an Deck. Eine Menge anderer Passagiere hielten sich ebenfalls lieber hier draußen auf. Ein Mann versuchte sogar tapfer in der steifen Brise seine Zeitung zu lesen. Das ist bei dem Wind und der Kälte ja wohl ein bisschen übertrieben, dachte Sarah, während sie ihn beobachtete. Sie schipperten schließlich nicht mit einem Kreuzfahrtdampfer auf dem Pazifik herum. Da wäre es herrlich gewesen, draußen in der Sonne zu sitzen und Zeitung zu lesen. Er saß auf einer Holzbank und hielt seine *Times* mit eisernem Griff fest. Seine Finger waren schon fast blau vor Kälte. Die Ecken der Seiten raschelten laut und manchmal gab es einen scharfen Knall, wenn ein plötzlicher Windstoß kam, aber er gab sich nicht geschlagen. Er harrte aus. Wie viel er auf diese Weise tatsächlich lesen konnte, war eine andere Sache.

Ein anderer Mann war mit seinem Sohn draußen, der nicht älter als sieben oder acht Jahre war. Der Junge trug kurze Hosen und hatte eine Gänsehaut an den rotfleckigen Beinen. Der Mann hielt ihn so fest, dass kein Windstoß sie trennen konnte, und so wankten sie zusammen übers Deck, beobachteten die kreischenden Möwen, die wie schwerelos über der Fähre schwebten, und entdeckten andere Boote und Schiffe. Immer wieder wies der Vater den Jungen auf etwas Neues hin und der Kleine drehte mit verkniffenem Gesicht gehorsam den Kopf in die Richtung, in die der ausgestreckte Arm zeigte.

Du liebe Güte, dachte Sarah, bring das Kind rein, bevor es Frostbeulen kriegt!

Sarah genoss es zwar, draußen zu sein, doch obwohl sie wärmer angezogen war als der unglückliche Kleine, begann sie immer wieder zu frieren. Sie ging dann rein, zog die schwere, stahlverstärkte Tür auf und trat über die hohe Schwelle in den warmen, mit Teppichboden ausgelegten Raum. Sie setzte sich mit dem Rücken zur Wand, streckte die Beine aus und beobachtete die anderen Passagiere und das geschäftige Treiben im Schiff, bis ihr wieder warm war. Kaum war es so weit, stand sie wieder auf und ging nach draußen, denn drinnen hielt sie es nicht allzu lang aus. Zum einen erklang im ganzen Innern des Schiffs diese entsetzlich schnulzige Schlagermusik, wie man sie in Supermärkten oder Kneipen hört, nichts sagend, leicht und hohl. Sarah nahm an, dass sie nur gespielt wurde um Lücken in der Unterhaltung auszufüllen und vollkommene Stille zu vermeiden. Sie fand es schrecklich.

Zum anderen wimmelte es drinnen überall nur so von Leuten. Sie standen in dem Laden mit zollfreier Ware Schlange, die Einkaufskörbe bis oben hin voll mit Spirituosen und Wein und Zigaretten und Parfüm. Sie saßen in den Schalensitzen und versperrten mit Kinderwagen und Buggys die Gänge. Überall krabbelten Babys und sabbernde Kleinkinder herum und die größeren Kinder spielten Verstecken und Nachlaufen. Im Selbstbedienungsrestaurant standen die

Leute Schlange, die Tabletts voll beladen mit Würstchen und Bohnen oder Pommes frites und Erbsen. Und zu allem Überfluss war auch noch eine Schülergruppe an Bord, die von irgendeinem Ausflug zurückkam. Wo Sarah auch hinschaute, überall tobten aufgeregte Schulkinder in grünen Schluniformen und gestreiften Halstüchern herum, probierten die einarmigen Banditen und Spielautomaten aus, bildeten am Fuß der Treppen und oben und mittendrin Trauben und flitzten überallhin, wo sie ohne aufgehalten zu werden hinflitzen konnten.

Mussten denn überall Leute und mehr Leute und noch mehr Leute sein? Sarah hatte gehofft das hinter sich gelassen zu haben, als sie aus London fortging. Und jetzt war sie hier, fast schon wieder in Irland, und die Leute schienen ihr in Massen gefolgt zu sein. Sie quollen aus London heraus und strömten in gewaltigen Wellen und mit mordsmäßigem Getöse auf Irland zu. Der totale Horror, dachte Sarah. Sie kam sich vor, als laste ein Fluch auf ihr, als sei sie der Rattenfänger von Hameln, an dessen Fersen sich alle geheftet hatten.

Immerhin war es draußen an Deck etwas ruhiger.

Die Fähre sollte um fünfzehn Uhr in Dùn Laoghaire anlegen. Sarah schaute auf die Uhr. Noch eine Stunde. Wahrscheinlich würde es die längste Stunde werden, die sie in letzter Zeit zugebracht hatte. Geistesabwesend begann sie an ihren Fingernägeln zu kauen, während sie an ihre bevorstehende Ankunft daheim dachte. Sie war sich nicht sicher, ob jemand sie an der Anlegestelle erwarten würde, und sie sagte sich, dass ihr das eigentlich auch egal sei. Sie hatte sich in den vergangenen fünf Monaten allein in einer fremden Stadt durchgeschlagen, da würde sie auch von der Fähre in Dùn Laoghaire allein nach Hause kommen. Die Familie konnte von ihr aus zu Hause bleiben, sollten sie doch fernsehen oder den Garten umgraben oder sich die Haare waschen. Wahrscheinlich war die Heimfahrt sowieso viel angenehmer, wenn sie allein den Bus oder Zug nahm. Da konnte es keine steifen Hallos und keine schwierigen Begrüßungen geben, keine Unsicherheit, ob sie die anderen in den Arm nehmen sollte oder nicht oder ob sie ihnen nur die Hände schütteln sollte – wahrscheinlich würden sie alle verlegen herumstehen und nicht wissen, was tun.

Das hatte sie sich eingeredet und es fast auch geglaubt, aber im Grunde hoffte sie inständig, dass doch jemand da wäre. Tief drinnen wünschte sie sich, dass sie jemandem noch so viel wert war, dass der- oder diejenige sie gern abholen wollte, sich freute, wenn sie heimkam, und sie um sich haben wollte. Allein in die eigene Stadt zurückzukehren, wo sie so viele Leute kannte und wo trotzdem keiner da wäre um sie nach fünf Monaten Abwesenheit abzuholen, das wäre wesentlich schwieriger als in den Straßen von London zu überleben.

Sie hatte ihre Eltern vom Caritas-Haus aus ein

paar Mal angerufen und ihnen gesagt, dass sie heimkommen würde, und zwar mit der Fähre, aber die Gespräche waren schwierig gewesen. Sie hatte die Ohren gespitzt, während sie sprach, hatte angestrengt versucht über dem Rauschen in der Leitung die unausgesprochenen Reaktionen ihrer Eltern mitzubekommen, über die Entfernung ihre Gefühle zu erspüren. Doch es war so frustrierend, das Telefon taugte in solchen Situationen einfach nicht. Sie konnte nur die Worte hören, konnte nur der Melodie ihrer Stimmen lauschen und versuchen das Schweigen und die Pausen dazwischen zu deuten. Ihr fehlten die tausend anderen Möglichkeiten des Verstehens, die es gibt, wenn man einander gegenübersteht. Sie konnte nicht in ihren Gesichtern lesen, nicht sehen, ob ihre Mutter missbilligend die Lippen kräuselte oder sie aufmunternd anlächelte. Sie konnte nicht sagen, ob ihr Vater vor Trauer und Enttäuschung die Augenbrauen hochgezogen hatte oder ob er seine Brille vor Überraschung und Freude hochgeschoben hatte. Sie konnte nicht sehen, wie sie dasaßen, während sie mit ihr redeten, wie sie sich zurücklehnten, was ihre Körper sagten. Saß der Vater entspannt und locker in seinem Sessel oder balancierte er angespannt auf der Kante? Stand die Mutter in der Küchentür und lächelte und glättete die Falten in ihrem Rock, wie sie es immer tat, wenn Sarah etwas Wichtiges mit ihr besprach? Oder kauerte sie auf der untersten Treppenstufe, wo sie saß, wenn sie schlechte Nachrichten am Telefon entgegennahm? Ihr fehlte die stumme Zwiesprache, die ihre Eltern miteinander hielten, wenn sie sich wissend anschauten – ein schneller Blick sagte so viel.

Wenn sie sie nur hätte sehen können dabei, wenn sie sie nur hätte riechen und fühlen und berühren können, dann hätte sie ihre Gefühle besser verstanden, wäre eher in der Lage gewesen abzuschätzen, was sie heute erwartete. Sie konnte nur vage Vermutungen anstellen, denn ihre Unterhaltungen waren so schwierig zu interpretieren gewesen. Aufgefallen war ihr allerdings, dass die Eltern meist reserviert geklungen hatten, dass es viele lange Pausen gegeben hatte und gelegentliche Seufzer. Sie begegneten einander alle mit so viel Zurückhaltung, es fehlte ihnen die Begeisterung und gegenseitige Ermutigung.

Es war enttäuschend.

»Dann hast du also beschlossen wieder heimzukommen?«

Sarahs Mutter. Eine ausdruckslose Stimme. Kaum eine Frage, eher eine Feststellung. Gefolgt von einem Seufzer. War das überhaupt wirklich ihre Mutter?

»Ja ...« Langsam, Sarah. Leg dich auf nichts fest, was du später bereuen könntest. Sei vorsichtig, dann musst du nichts zurücknehmen. »... vorerst mal.«

Langes Schweigen. Leises Hüsteln. Der Vater, am Nebenanschluss im ersten Stock, mischte sich diskret ein.

»Dann also nur vorerst mal, Sarah?«

»Na ja, mal sehen.« Was für eine lausige Antwort, Sarah. Kannst du nicht ein bisschen großzügiger sein? Nimm ihnen doch nicht gleich jede Hoffnung. »Kann sein, dass ich bleibe ... ich kann es einfach noch nicht sagen.«

Langes Schweigen, dann begannen Vater und Mutter gleichzeitig zu reden. Sarah verstand nichts in dem Durcheinander. Sie entschuldigten sich beieinander. Machten verlegene Pausen.

»Oh, tut mir Leid, ich dachte, du wärst fertig.«

»Du zuerst.«

»Nein, nein, nach dir.«

»Okay. Danke.«

Die Mutter wieder.

»Warum machst du dir überhaupt die Mühe zu kommen, wenn du doch bald wieder gehst?«

Einmal kurz das Messer gedreht. Nur ein kleines Stück, schnell, tödlich. Sie kann dir nicht alles durchgehen lassen, Sarah, o nein. Sarkasmus. Selbstschutz.

»Ich möchte euch nur sehen. Möchte einfach eine Weile daheim sein. Ist das okay?« Nicht die Geduld verlieren. Ruhig bleiben, gelassen. Sie haben viel durchgemacht. Immer sachte. »Ich dachte, es wäre gut – es würde vielleicht helfen.«

Unverständliches Grunzen. Von wem – Mum? Dad? Was sollte es heißen? Frag sie. »Wie bitte? Was hast du gesagt?«

Stille. Frag nach, lass es nicht so stehen. »Hast du was gesagt?«

Dad diesmal: »Und wann kommst du?«

Und so ging es weiter. Sie wusste, dass es nicht leicht werden würde. Nicht nach fünf Monaten. Es würde Zeit brauchen. Zeit, bis sich alles beruhigt hatte – und vielleicht würde es sich überhaupt nie beruhigen. Ob Sarah genug Geduld dazu hatte? Und hatte sie überhaupt ein Interesse daran? Das Durchhaltevermögen? Es gab Zeiten, da war ihr schon der Gedanke an die damit verbundene Anstrengung zu viel. Es würde Jahre dauern, Ewigkeiten, bevor sie wieder einigermaßen locker miteinander umgehen konnten. Bestimmt hatte sich vieles verändert, die Beziehungen waren nicht mehr dieselben, Freundschaften hatten sich verlagert.

Sarah hatte das Gefühl, als bereite sie sich darauf vor, in Treibsand zu treten, wo nichts fest war und alles in Bewegung, sich verändernd, schwankend. Vielleicht würden sie nie mehr so miteinander umgehen können wie früher. Vielleicht waren die Veränderungen dauerhaft. Der Gedanke war beruhigend und gleichzeitig machte er ihr Angst. Ein Teil von Sarah wollte nicht, dass die Familie und das Zuhause noch genauso waren wie vor fünf Monaten, als sie weggegangen war. Sie war ja schließlich gegangen, weil es ihr so, wie es war, nicht gefallen hatte. Weil sie sich nicht als Teil der Familie begreifen konnte, keine Beziehung zu ihnen herstellen konnte, offenbar nicht dieselben Wertvorstellungen hatte wie sie. Es machte keinen Sinn, für mehrere Monate zu verschwinden und dann zum Status quo zurückzukehren, wo alles so war wie bisher. Sarah wusste, dass sie das nicht ertragen würde. Sie würde nicht lange bleiben können, wenn bald alles wieder nach dem altbekannten Schema ablief.

Aber ein anderer Teil von ihr, eine leise Stimme in ihrem Innern, fragte immer wieder besorgt, was sich wohl verändert haben könnte. *Von zwei Übeln wählt man besser das, welches man schon kennt* – solche Sprüche gingen ihr die ganze Zeit im Kopf herum. Würde alles so schwierig sein, dass sie vielleicht nicht bleiben konnte, dass sie nun ein Außenseiter war, ein Eindringling? Es war ja möglich, dass die ganze Familie jetzt ohne sie so gut funktionierte, dass sie nur noch nutzloser Ballast war, der das eingespielte Team verunsicherte. Sie war zu Hause immer die Fliege auf der Butter gewesen, das schwarze Schaf, die Schwierige. Sie hatte die jüngsten Entwicklungen ins Rollen gebracht und jetzt kehrte sie zurück um ihr Werk zu begutachten, die Veränderungen zu sehen, die sie bewirkt hatte. Ihr Weggehen mochte auch sein Gutes gehabt haben – konnte sozusagen totes Holz aus dem Wald geräumt haben. Sie schauderte bei dem Gedanken daran. An die Rückkehr in ein Zuhause, wo sie vielleicht gar nicht mehr erwünscht war, wo sie von neuem der verunsichernde Faktor sein würde.

»Ist alles in Ordnung, Miss? Ist Ihnen übel oder so?« Ein pickliger Schüler in einer grünen Schuluniform beugte sich zu ihr herunter. Sarah blinzelte; er hatte sie aus ihren Tagträumen aufgeschreckt. Hinter dem Jungen sah sie ein paar seiner Freunde stehen, die sie neugierig beobachteten. Sie erhob sich von den rostigen Stufen hinauf zum Oberdeck, wo sie gesessen hatte, und wäre auf dem nassen Metall fast ausgerutscht.

Er fragte noch einmal, schien besorgt.

»Sind Sie sicher, dass alles in Ordnung ist? Dass Ihnen von dem Schaukeln nicht übel ist?«

»Es ist alles okay, danke.«

Sie gingen davon, schauten sich aber immer wieder nach ihr um.

Zeit, wieder mal reinzugehen, dachte Sarah und steckte die kalten Hände unter die Achseln um sie aufzuwärmen. Sie hatte jetzt eine ganze Zeit lang draußen gesessen und fror. Der Himmel war bewölkt, es sah nach Regen aus. Sarah ging hinein und schaute noch einmal auf die Uhr.

Noch fünfunddreißig Minuten.

Die Fähre hatte gut zwanzig Minuten vor dem Hafen gelegen und darauf gewartet, dass eines dieser kleinen, verschrammten Fischerboote seine Fracht aus silbrigen Fischen und zappelnden Krebsen löschte und die Einfahrt freigab. Clem lehnte über der moosbewachsenen Mauer am Ende des alten Piers und hatte die Manöver von dort aus beobachtet.

Die durch den Rückstoß der Motoren verursachten Wellen klatschten mit Getöse an den

Pier und ließen Gischtfontänen aufsteigen, die ab und zu seinen linken Schuh trafen. Müßig schaute Clem zu, wie die einzelnen Schaumblasen einen Augenblick lang auf dem Leder lagen und dann langsam hineinsickerten.

Sobald das Fischerboot aus dem Weg war, glitt die Fähre langsam auf die Hafeneinfahrt zu und richtete sich so aus, dass sie zwischen den alten und den neuen Pier passte. Zur gleichen Zeit verließ Clem den alten Pier. Er wollte rechtzeitig am Ankunftsgebäude sein, bevor die Passagiere von Bord gingen. Da Sarah nicht genau wusste, wer sie abholen kam, war es wichtig, dass er rechtzeitig da war und sie ihn gleich sah.

Es standen schon eine Menge Leute am Ausgang und warteten auf Familienmitglieder und Freunde. Es waren auch etliche neugierige Spaziergänger da, die zuschauten, wie das gewaltige Schiff am Kai anlegte.

Als Clem zum Terminal kam, sah er direkt vor dem Eingang Lee und seinen Vater stehen. Sie waren lieber dort geblieben, als er über den alten Pier hinausgelaufen war. Lee starrte auf den riesigen Schiffskörper, der jetzt hoch über ihnen aufragte. Die Schiffsschrauben liefen wieder rückwärts, damit die Fähre zum Stehen kam, und sie wirbelten tonnenweise schäumendes Meerwasser voller Algen auf, das in Kaskaden über die Kaimauer stürzte und sich über den betonierten Weg ergoss. Lee beobachtete alles fasziniert, trat aber vorsichtshalber einen Schritt näher zu seinem Vater.

Clem hatte sich gefreut, dass Lee und sein Vater gesagt hatten, sie wollten mitkommen, wenn er Sarah abholte. Mal war am Morgen zu einem großen Schwimmfest nach Limerick gefahren und würde erst spät am Abend zurückkommen. Clem vermutete, dass er das absichtlich so eingefädelt hatte um Sarah nicht gegenübertreten zu müssen, bevor es nicht absolut unausweichlich war, aber er hatte nichts gesagt. Wahrscheinlich war es für Mal und auch für Sarah das Beste, wenn er erst mal aus dem Weg war.

Alice hatte beschlossen daheim bei der Mutter zu bleiben. Mum war auf hundertachtzig und schwankte zwischen Freude über Sarahs Rückkehr und Wut auf sich selbst darüber, dass sie sich freute. Sie war am frühen Morgen aus dem Haus gegangen und hatte gesagt, sie werde den ganzen Tag weg sein. Clem und sein Vater hatten sich Sorgen gemacht, weil sie niemandem gesagt hatte, wo sie hin wollte. Kurz vor zwei war sie dann aber wiedergekommen.

»Ich kann doch nicht einfach wegbleiben, oder?«, hatte sie bockig gefragt. »Es ist doch richtig, dass ich da bin, wenn sie zurückkommt.«

»Natürlich, Liebes«, hatte Mr. Bailey beruhigend gesagt. »Ich hol sie ab und du bleibst hier und machst dich bereit.«

»Eigentlich wollte ich nicht da sein. Ich wollte heute nicht hier sein, aber ich kann auch nicht einfach wegbleiben. Was würden die Leute denken? Aber verdient hat sie es nicht. Sie muss lernen, dass nicht alle parat stehen, nur weil sie heimkommt.«

»Ich seh zu, dass sie sich wieder abregt«, hatte Alice gesagt, eines ihrer Fläschchen mit ätherischem Öl hervorgezaubert und ein Duftlämpchen in der Küche angezündet. »Ich bleibe bei Mum und ihr holt Sarah ab, du und Clem und Lee.«

Die Vorderseite des Schiffes schwang langsam auf und die ersten Autos und Lastwagen kamen aus seinem Bauch heraus und fuhren aufs Land. Eine Dieselwolke begleitete die ersten paar Wagen.

Von Sarah keine Spur. Voller Sorge suchte Clem mit den Augen die Passagiere ab, die über die Gangway zum Terminal gingen. Lee und sein Vater taten dasselbe, traten sogar noch etwas näher, damit sie besser sehen konnten, auch wenn ein paar Schritte keinen Unterschied machten.

Dann sah Clem jemand auf sich zukommen, jemand, der sich von der herumwuselnden Menge abgesetzt hatte. Jemand, der plötzlich nur noch wenige Meter entfernt war und selbstbewusst näher kam. Eine Gestalt in verwaschenen Jeans und einer viel zu großen Jacke, die mit leichtem Gepäck reiste und nur eine kleine Sporttasche über die Schulter geworfen hatte.

Sie war ihm bis zu diesem Moment nicht aufgefallen, er hatte gar nicht bemerkt, wie sie herangekommen war. Vielleicht lag es daran, dass er sie nicht gleich erkannt hatte. Der Gang war vertraut, die Art, wie sie den Kopf hielt, und die aufrechte Haltung auch, aber alles andere machte Clem unsicher. War das Sarah? War das seine Schwester, mit der er fast sein ganzes Leben zugebracht hatte?

Sie war schmaler, als er sie in Erinnerung hatte – zu schmal für ihre Größe –, und ihre Haut war sonnengebräunt. Das Haar war kurz geschnitten, was ihre Gesichtsform betonte. Im ersten Moment empfand er den Schnitt als zu streng, doch nachdem er sich daran gewöhnt hatte, gefiel es ihm. Die langen Locken, die ihr Gesicht weicher gemacht hatten, waren verschwunden, genau wie die dicken Backen, die sie immer wie ein kleines Mädchen hatten aussehen lassen. Clem blinzelte überrascht; ihr verändertes Aussehen irritierte ihn. Dann lächelte er, ging rasch auf sie zu und umarmte sie, eine automatische Reaktion, die sie anscheinend nicht erwartet hatte. Er spürte, wie ihr knochiger Körper sich in seiner Umarmung ein wenig versteifte, sich dann entspannte und die herzliche Begrüßung erwiderte. Er wusste, dass ihr nicht wohl sein konnte in ihrer Haut, wusste, dass ihr lässiger Gang und das unbekümmerte Lächeln sie große Mühe kosten mussten. Er spürte das Zögern in ihrer Berührung, sah die Unsicherheit in ihren Augen.

Clem hatte mit seiner herzlichen Begrüßung den Maßstab gesetzt, dem die anderen folgten. Lee sprang an Sarah hoch und stellte überrascht fest, dass er nicht mehr ganz so hoch springen musste um sie zu küssen, wie er es in Erinnerung gehabt hatte. Ihr Vater wollte ihr die Tasche abnehmen, doch Sarah lehnte ab, lächelte ihn etwas unsicher an und gab sie nicht her.

Auf dem Heimweg im Auto redete Clem nicht viel. Er zog es vor, seine Schwester zu beobachten, sich die Veränderungen an ihr bewusst zu machen. Er saß mit Lee auf der Rückbank, während sie auf dem Beifahrersitz neben ihrem Vater saß. Die beiden sprachen über unverfängliche Themen wie Dublin und das Wetter und die Überfahrt nach Irland. Für schwierigere Gespräche war später immer noch Zeit, darüber herrschte stillschweigendes Einverständnis, und jedem war es recht, dass man sich erst einmal auf sicherem Boden bewegte.

Manche von Sarahs Eigenheiten waren noch die, die Clem in Erinnerung hatte, andere waren neu. So hatte sie eine neue Art, etwas ganz schnell mit den Augen zu erfassen, sei es etwas draußen in der Landschaft oder eine Bewegung von Lee. Sie warf einen kurzen Blick darauf, nahm es auf, registrierte auch die kleinste Kleinigkeit ohne den Fluss der Unterhaltung zu unterbrechen. Sie redete auch mehr mit den Händen, untermalte ihre Beschreibungen in der Luft auf eine Art und Weise, die Clem an Alice erinnerte und doch typisch für die neue Sarah zu sein schien. Sie ließ die Finger spielen, was die Luft in Bewegung brachte und ihre Sprache bereicherte.

Auch Sarah beobachtete genau und nahm alles

auf, was sie sah, auch wenn es für sie schwieriger war, da ihr so viele Fragen gestellt wurden und so viel mehr von ihr erwartet wurde. Sie war dankbar dafür, dass sie gekommen waren um sie abzuholen, und sie konnte sich die Angst und Anspannung vorstellen, die vor der Ankunft der Fähre zu Hause geherrscht hatten. Sie wusste, wie wichtig eine lockere Unterhaltung war, damit sich alle sicher und wohl fühlen konnten, und so betrachtete sie interessiert die Veränderungen in der Stadt, auf die ihr Vater sie beim Durchfahren hinwies: das neue Bürogebäude an der Ecke des Platzes, die Reihen von Osterglocken auf dem Mittelstreifen. Ihr fielen auch die paar Zentimeter auf, die Lee gewachsen war; die neugierigen, fragenden Blicke von Clem; das Zögern ihres Vaters, als er die Wagentür für sie aufhielt und nicht sicher war, wie sie reagieren würde. Diese ersten wenigen Augenblicke waren die wichtigsten, denn an diese Momente würden sie und ihre Familie sich am Abend und am nächsten Tag und in der nächsten Woche erinnern.

Auf dem Hügel war es windig und kalt. Ringsum wuchsen in Knöchelhöhe büschelweise Preiselbeeren, deren kleine, rosa schimmernde Blüten Wolken von süß duftenden Pollen ausschickten, wenn Sarah sie streifte. Sie atmete tief die würzige Frühlingsluft ein.

Angestrengt schaute sie in den Wind. Er war so kräftig, dass sie die Augen zusammenkneifen musste um das Gelände vor sich überschauen zu können. Der Anblick der Gipfelregion war trügerisch. Von unten sah es aus, als besteige man einen ganz gewöhnlichen Berg mit einem einzelnen Gipfel, doch wenn man oben war, stellte man fest, dass es in Wirklichkeit drei kleinere, dicht hintereinander liegende Gipfel waren und dass man jeden für sich erklimmen musste. Zwischen den einzelnen Gipfeln lagen enge, steilwandige Täler.

Sarah blieb schwer atmend stehen. Der kalte Wind auf ihren erhitzten Wangen tat gut. Sie rückte die Riemen ihres Rucksacks zurecht und schaute noch einmal auf die Karte, bevor sie weiterging und dabei das erste protestierende Zwicken ihrer Wadenmuskeln spürte. Das Steinmal, zu dem sie wollte, lag auf dem dritten Gipfel – eine uralte, von Menschen gemachte Steinmulde, umgeben von einem Kreis aus größeren Felsbrocken, und der ideale Platz für ein windgeschütztes Picknick. Da konnten sie sich niederlassen und sich das mitgebrachte Essen schmecken lassen. Sarah blickte zum Himmel. Den aufziehenden Wolken nach zu urteilen blieb ihnen noch ungefähr eine Stunde, bis es anfangen würde zu regnen. Also war gerade noch Zeit genug für ein schnelles Sandwich, bevor sie sich wieder auf den Heimweg machen mussten. Bis jetzt hatten sie allerdings Glück gehabt mit dem Wetter. Seit sie vor etwa zwei Stunden losgezogen waren, hatten sie lediglich ein paar halbherzige Regentropfen abbekommen, die weder ihre Jacken aufweichen noch ihrer guten Laune etwas anhaben konnten.

Auf dem zweiten Gipfel blieb Sarah erneut stehen und schaute sich nach den anderen um. Clem und Lee stiegen gerade vom ersten Gipfel ab. Lee rannte in der sorglosen Art eines kleinen Jungen voraus, während Clem seine Schritte sorgfältiger setzte und aufpasste, dass er nicht über herumliegende Steine oder andere Unebenheiten stolperte. Lee schaute hoch und winkte Sarah zu; ungeduldig hüpfte er von einem Bein aufs andere, während er auf Clem wartete. Sarah lächelte vor sich hin. Äußerlich hatte sich Lee während der Zeit, in der sie in London gewesen war, am meisten verändert. Er ging ihr jetzt bis fast an die Schultern und war längst nicht mehr so pummelig wie früher.

Die anderen hatten sich auch alle verändert, aber nicht äußerlich. Die Veränderungen bei ihnen waren nicht auf den ersten Blick zu erkennen gewesen. Erst nach Wochen waren sie herausgekommen, nachdem es den Anstrich des Neuen verloren hatte, dass sie wieder da war, nachdem die anfängliche höfliche Zurückhaltung der alten Vertrautheit und den ganz gewöhnlichen Unterhaltungen Platz gemacht hatte.

Kurz nach ihrer Rückkehr waren alle noch vorsichtig gewesen mit dem, was sie sagten und wie sie reagierten. Sie waren alle höflich und unnatürlich freundlich gewesen, bis sich die Routine wieder eingeschlichen hatte. Es war, als hätten sie für eine gewisse Zeit alle einen Gesellschaftstanz getanzt, dessen Bewegungen und Schritte festgeschrieben waren und nicht geändert werden konnten. Keiner machte einen falschen Schritt. Sie spielten wie Profis nach den Regeln, nahmen sich Zeit zum Zuhören und dazu, anschließend ihren Teil zur Unterhaltung beizutragen, Fragen einfühlsam zu stellen und mit Bedacht zu antworten. Auch Sarah hatte sich an die Spielregeln gehalten, doch zugleich wusste sie, dass die wahren Gefühle und Empfindungen erst zum Vorschein kommen würden, wenn sich alle entspannten. Es hatte Wochen gedauert, bevor sie die Veränderungen deuten konnte, die in den Einzelnen vorgegangen waren. Keiner von ihren Familienmitgliedern redete offen über die Zeit, in der Sarah weg gewesen war, oder darüber, wie sie sich in dieser Zeit gefühlt hatten und was sie getan hatten. Das Thema wurde sorgfältig vermieden, Ausnahmen bildeten nur die gelegentlichen sarkastischen Bemerkungen von Mal und der Mutter sowie Lees entwaffnende Direktheit.

An der Art und Weise, wie die anderen jetzt mit ihr umgingen, merkte Sarah mit der Zeit, was ihr Verschwinden für sie bedeutet hatte. Geduldig fügte sie die versteckten kleinen Hinweise zu einem Gesamtbild. Es war, als setze sie im Kopf ein großes und kompliziertes Puzzle zusammen, bei dem die einzelnen Teilchen aus den Empfindungen und Gefühlen und Kommentaren ihrer Familie bestanden. Einige Teilchen würden immer fehlen, während andere von Anfang an zum Einsetzen bereitlagen. Lees absolute Offenheit zum Beispiel. Er war der Jüngste und damit am wenigsten belastet von äußeren Verhaltensnormen, seine direkten Fragen waren am leichtesten zu beantworten. Er wollte den größten Teil seiner freien Zeit mit Sarah verbringen, wollte mit ihr einkaufen und zum Schwimmen gehen und mit dem Bus in die Stadt fahren. Vielleicht war das ein Hinweis darauf, wie sehr ihm das Zusammensein mit ihr gefehlt hatte.

»Sarah«, fragte er einmal auf dem Weg zur Bücherei, »warst du glucklich, als du weggelaufen bist?«

»Manchmal ja, Lee, aber manchmal war ich auch sehr unglücklich und einsam.«

»Ich war unglücklich, als du weg warst. Ich

hab dich vermisst. Warum bist du nicht heimgekommen, als du einsam warst?«

»Es ist nicht immer das Beste, wenn man das, was man gern möchte, auch sofort tut. Manchmal ist es besser, wenn man versucht sich allein durchzuwursteln.«

»Wirst du wieder weglaufen?«

Sarah musste lächeln. »Ich weiß es nicht.«

»Nimmst du mich mit, wenn du's noch mal tust?«

»Du bist noch ein bisschen jung für so was, Lee. Aber ich verspreche dir, dass ich dir oft schreibe, wenn ich wieder von zu Hause weggehe.«

Die Reaktion ihrer Mutter stand in scharfem Gegensatz zu der von Lee. Statt Sarah loszulassen, damit sie ihre eigenen Wege gehen konnte, erwartete sie, dass sie sich an sämtlichen Aktivitäten der Familie beteiligte. Es war, als habe Sarah in ihren Augen mit der Rückkehr in die Familie indirekt zugegeben einen Fehler gemacht zu haben. Ihre Mutter schien anzunehmen, Sarah wolle nun wieder ein vollwertiges Mitglied der Familie sein und die ihr zugewiesene Rolle der gehorsamen Tochter und Schwester spielen. Deshalb erwartete sie, dass Sarah an jeder gemeinsamen Mahlzeit teilnahm, jeden Sonntag mit zum Gottesdienst ging (obwohl Sarah seit September in keinem Gottesdienst mehr gewesen war), sonntagabends daheim blieb und fernsah. Sarah fügte sich um des lieben Friedens willen, sie wollte nicht gleich nach ihrer Rückkehr schon wieder für Unruhe sorgen. Aber insgeheim hasste sie den Zwang, die gesamte Familienroutine mitzumachen. Sie kochte innerlich, während sie mit ihren Eltern und Geschwistern vor dem Fernseher hockte und Familiensendungen und schmalzige Serien anschaute. In stummem Protest saß sie Abend für Abend am Esstisch und kaute und schwor sich, dass es nicht mehr lang so weitergehen würde. Es konnte so nicht weitergehen – etwas musste sich ändern.

Jetzt trat sie ein Stück zur Seite und versuchte Alice ausfindig zu machen. Weiter hinten sah sie ihren leuchtend pinkfarbenen Hut über dem Gipfel auftauchen, als sie langsam den Berg heraufkam. Sie hatte zwei Freundinnen mitgenommen, Jasmine und Eliza. Die drei quasselten und streiften im Zickzack durchs Heidekraut und pflückten dabei Blumen um sie später zu pressen.

Sarah drehte sich um und ging weiter Richtung Steinmal. Sie war entschlossen noch zu ihrem Mittagessen zu kommen, bevor der Regen einsetzte. Clem schaute ihr von unterhalb des ersten Gipfels aus nach, wie sie davonging und sich noch weiter von ihnen allen entfernte. Immer weg von ihnen. Das war die neue Sarah. Die verwandelte Sarah, ungeduldig und unstet, voll innerer Unruhe und rastlos. Sie war sofort dabei, wenn es galt, etwas Neues zu tun, etwas anderes. Sie lag nie auf der faulen Haut oder machte es sich abends vor dem Fernseher gemütlich. Wann immer sie eine gewisse Zeit mit der Familie verbrachte, beobachtete sie die anderen, die noch im Zimmer waren, statt zum Beispiel das Geschehen auf dem Bildschirm zu verfolgen, und ihr Blick huschte von einem zum andern in dieser neuen Art, die sie jetzt an sich hatte.

Clem bückte sich, hob einen glatten runden Kiesel auf und wischte die angetrocknete Erde von der marmorierten Oberfläche.

»Was hast du da?«, wollte Lee wissen. Er kam zu ihm und streckte die Hand nach dem Kiesel aus, damit er ihn von nahem betrachten konnte. Clem schaute auf seinen kleinen Bruder herunter.

»Wetten, dass du keinen findest, der genauso glatt ist?«, forderte er ihn heraus und gab ihm den kleinen Stein. Lee nahm die Herausforderung sofort an. Er suchte den steinigen Weg nach weißen, marmorierten Kieseln ab, lief ein paar Schritte vor und blieb dann wieder stehen um sich die vielen Steine zu seinen Füßen genau anzusehen.

Clem ging langsam weiter, atmete tief die Bergluft ein und genoss die herrliche Aussicht. Als er oben auf dem zweiten Gipfel aufschaute, war er überrascht Sarah ganz still auf einem großen Felsbrocken sitzen zu sehen. Sie schaute hinunter auf das dunstig-blaue Wicklow und dahinter auf Dublin.

»Ist das nicht sagenhaft?«, fragte sie ohne den Blick abzuwenden.

»Mmm«, bestätigte Clem und hockte sich neben sie.

Jetzt erschien auch Lee.

»Wetten, dass ich als Erster am Steinmal bin?«, rief er und stürmte mit scheinbar grenzenloser Energie davon.

»Reservier mir den besten Stein«, rief Sarah hinter ihm her.

Clem und Sarah blieben noch ein paar Augenblicke sitzen, dann stand Sarah auf. Sie schaute hinauf zu den grauen Wolken.

»Komm«, sagte sie, »lass uns zum Steinmal gehen, damit wir mit Lee noch zu unserem Mittagessen kommen, bevor es für den Rest des Tages regnet und wir pitschnass werden.«

»Okay«, meinte Clem und rieb sich den Bauch, »ich bin schon am Verhungern.«

Zusammen stiegen sie zu dem Steinmal hoch, über dessen Kante Lees Kopf zu sehen war. Ihr Verhältnis war noch nicht wieder das alte und ihr Schweigen war erwartungsvoll, verlegen, unbehaglich. Eine Menge war ungesagt zwischen ihnen. Es gab noch viel zu klären.

»Weißt du schon, was du im Herbst machen willst?«, fragte Clem.

Sarah holte tief Luft.

»Im Moment bin ich mir noch nicht sicher. Ich glaube nicht, dass ich weiter in die Schule gehen will, obwohl ich mit der fünften Klasse weitermachen und das Überbrückungsjahr einfach überspringen könnte. Der Gedanke daran lässt mich allerdings kalt. Arbeiten gehen hört sich auch nicht gerade verlockend an. Aber ich hab mir über das alles eine Menge Gedanken gemacht in letzter Zeit.«

»Na, dann musst du wohl ganz zu Hause bleiben«, meinte Clem lachend. Der Satz war nur so dahingesagt.

Sarah warf ihm einen scharfen Blick zu. Sie war plötzlich ernst.

»So? Dazu gibt's noch jede Menge Alternativen.«

Ihre Worte waren spitz, ihr Ton abwehrend. Clem war von ihrer Antwort wie vor den Kopf gestoßen. Ein einziges Mal hatte er geantwortet ohne vorher darüber nachzudenken, was er sagen wollte, und sofort ließ Sarah ihn wissen, dass er die Grenze überschritten hatte. Zurück auf deinen Platz, Clem.

»Hey, Sarah«, sagte er, »so war's doch nicht gemeint. Das sollte ein Witz sein.«

Sarah sagte nichts, sie spürte den leisen Tadel in seiner Stimme.

Clem redete in normalem Tonfall weiter: »Denkst du daran, vielleicht wieder wegzugehen?«

Sarah schwieg eine Weile. Überlegte. Als sie antwortete, tat sie es zögernd, vorsichtig.

»Möglich. Ich bin mir noch nicht sicher. Es ist schön, eine Zeit lang daheim zu sein, aber dass ich länger bleibe, kann ich mir eigentlich nicht vorstellen.«

Als er nichts erwiderte, wurde sie mutiger und sprach mit mehr Überzeugung.

»Machen wir uns doch nichts vor, Clem, ich pass einfach nicht rein daheim. Ich bin anders, das fünfte Rad am Wagen. Manchmal hab ich das Gefühl, ich wäre als Baby in die falsche Familie geraten, jemand hätte die Namen vertauscht. Wahrscheinlich gibt's irgendwo eine total verrückte Familie mit einer vernünftigen, konservativen, fleißigen Tochter, die sich fragt, warum sie so anders ist. Ich gehöre eigentlich dahin und sie hätte eine Bailey sein sollen.«

Clem lachte über die Vorstellung – da schweben zwei Babys mit Grübchen in den Wangen auf kleinen Wattewolken zu ihren gänzlich unterschiedlichen Müttern, kriegen aber irgendwie die Kurve nicht und landen schließlich bei der falschen Familie.

»Ich mein das ernst, Clem«, sagte Sarah, musste aber auch lachen. »Ich bin anders als ihr alle. Und nicht nur das, ich will auch gar nicht so sein wie ihr. Ich will nicht versuchen mich anzupassen, weil ich überhaupt nicht so sein möchte wie die anderen in der Familie.«

Auch Clem war wieder ernst geworden.

»Aber warum bist du so gegen uns?«

Sarah schaute ihn überrascht an. »Ich bin doch nicht *gegen* euch, ich will nur nicht genauso sein wie ihr. Das sind zwei ganz verschiedene Dinge. Wenn ihr alle glücklich seid, so wie ihr seid, ist das vollkommen in Ordnung. Es ist gut so. Aber mich darfst du eben nicht dazuzählen. Ich will was anderes anfangen mit meinem Leben.«

»Und weggehen ist die einzige Lösung für dich?«

Sie blieb stehen und schaute ihn an. »Was schlägst du vor?«, fragte sie.

»Kommt darauf an, was du machen willst. Auf jeden Fall kannst du auch hier alles machen, was du möchtest, dazu brauchst du nicht wegzugehen.«

Sarah dachte darüber nach.

»Vielleicht will ich nur einfach selber entscheiden können, was ich sein will. Ich will damit nicht sagen, dass die Art und Weise, wie ich in London gelebt habe, das Nonplusultra für mich ist – das ist es bestimmt nicht, denn manchmal war es schrecklich und schmutzig und gefährlich. Aber wenigstens habe ich selber die Entscheidungen getroffen. Ich hab entschieden, wie ich leben wollte, und ich konnte tun und lassen, was ich wollte.«

»Aber du musst nicht von zu Hause weggehen um das machen zu können, was du willst«, wiederholte Clem.

»Und ob ich das muss«, kam es wie aus der Pistole geschossen von Sarah. »Du weißt doch selbst, was Mum und Dad für Gesichter machen würden, wenn ich weder arbeiten noch weiter in die Schule gehen wollte! Sie würden durchdrehen – die Schande, die das über die Familie bringen würde und all so was. Die würden mir doch keine Ruhe mehr lassen.«

Sie erreichten das Steinmal, wo Lee schon

seine Brote ausgebreitet hatte und gerade seine Wanderflasche öffnete.

»Ich weiß nicht«, sagte Clem. »Wäre es schlimmer, als von zu Hause wegzugehen und wie ein Penner in London zu leben?«

Sarah sagte nichts darauf, sondern sprang in das Steinmal hinein neben Lee. Sie packten eifrig Brote aus und öffneten Thermosflaschen und versuchten das peinliche, unbehagliche Schweigen zu ignorieren, das wieder über ihnen lag.

In dieser Nacht lag Sarah hellwach im Bett. Es war nach zwei und im Haus war alles still. Gelegentlich fuhren draußen auf der Straße Autos vorbei und sie verfolgte träge den Lichtstrahl ihrer Scheinwerfer, der über die Zimmerdecke glitt. Sie lag schon seit etlichen Stunden wach, eigentlich seit sie ins Bett gegangen war. Der Schlaf hatte einfach nicht kommen wollen. Sie lag ganz ruhig da, doch in ihrem Kopf herrschte das Chaos. Gedanken, Ideen und Vorstellungen schwirrten als unentwirrbares Knäuel darin herum.

Seit Tagen herrschte nun schon diese komplizierte Unordnung in ihrem Innern. Es beunruhigte sie immer, wenn sie sich so fühlte. Sie wusste, dass sie nicht richtig angekommen war zu Hause, dass sie sich dort nicht wohl fühlte und sich nicht richtig entspannen konnte. Sie spürte, wie sich in ihrem Körper und Kopf unkontrolliert Frustration breit machte. Sie hatte keine Gewalt darüber. Die Hartnäckigkeit ihrer negativen Gefühle irritierte sie. Sie wusste, dass sie irgendwann darauf reagieren musste. Sie würde bald irgendetwas tun müssen. Sie hatte wirklich versucht daheim wieder Fuß zu fassen, sich den Gepflogenheiten der Familie anzupassen, die ebenso vertraut wie unbefriedigend für sie waren, doch tief im Innern wusste sie, dass sie einen verlorenen Kampf kämpfte. Es drängte sie danach fortzuziehen. Immer wieder hatte sie an all das Schöne denken müssen, das sie erlebt hatte, als sie von zu Hause weg gewesen war, an die Vorteile eines freien und ungebundenen Lebens, das weder von elterlichen Erwartungen noch von fest gefügten Strukturen und Gewohnheiten eingeengt war.

Seit sie wieder zu Hause war, hatte sie etliche Male an Flady im Caritas-Haus geschrieben und zwei wirre Briefe zurückbekommen, aus denen sie absolut nicht schlau wurde. Sarah wusste also nicht, wie es Flady ging. Sarah vermisste sie und sehnte sich danach, mit ihr zu reden, zu erfahren, wie die Sache mit der Sozialarbeiterin ausgegangen war, wo sie in Zukunft leben würde und was mit ihrer Mutter und deren Freund passieren würde. Ihr fehlten das Herumziehen mit Flady, die Freiheit, das zu tun, was ihnen gerade gefiel, die Schaufensterbummel und das Schwarzfahren, die Nächte in der Jerusalemer Schlechtwetterhilfe oder in Popeyes abbruchreifem Haus.

Sie hatte auch Bakhtiar geschrieben, aber keine Antwort bekommen, was nicht verwunderlich war. Genauso wenig Erfolg hatte sie gehabt, als sie die Nummer anrief, die Flea ihr aufgeschrieben hatte. Es war ihr sehr wichtig, mit den Leuten, die sie in London kennen gelernt hatte, Kontakt zu halten. Doch egal, wie sehr sie sich bemühte, es glückte ihr nicht recht.

Gleichzeitig fühlte sie sich zu Hause zunehmend eingeengt. Dass ihre Mutter darauf bestand, dass sie an sämtlichen gemeinsamen Unternehmungen der Familie teilnahm, empfand Sarah inzwischen als reine Tortur. Leise Proteste trafen auf taube Ohren und Sarah wollte nicht den dritten Weltkrieg vom Zaun brechen mit einer offenen Weigerung. Sie nahm an, dass es für ihre Mutter auch nicht einfach war. Die Mutter versuchte Sarah auf ihre Art das Gefühl zu geben, willkommen zu sein – und das bedeutete eben, dass sie sie in alles einbezog und ihr immer wieder sagte, wie sehr sie sich freute, dass sie da sei, und wie sehr sie sie vermisst hatte. Auch wenn Sarah manchmal das Gefühl hatte, als seien die Worte mit zusammengebissenen Zähnen gesagt, erkannte sie die Bemühung an.

Ihr Vater wiederum hatte solche Angst, sie könnte wieder weglaufen, dass er über jeden ihrer Schritte Bescheid wissen wollte: wo sie war und mit wem sie zusammen war, wie lang sie wohl weg sein würde und wann sie vorhatte nach Hause zu kommen. Wann immer es möglich war, holte er sie mit dem Wagen ab, so dass sie sich wieder vorkam wie ein kleines Mädchen. Und auch wenn sie Lee wirklich liebte, wurde es ihr langsam zu viel, dass er sie überallhin begleiten wollte. Einen größeren Unterschied zu der vollkommenen Freiheit, die sie in London genossen hatte, gab es wohl kaum.

Selbst bei ihren Freunden war sie zur Außenseiterin geworden. Karen redete nur noch von ihrem neuen Freund und dem Überbrückungsjahr in der Schule und was sie da alles machten. Sarah konnte nur von London erzählen und vom Leben in Heimen und auf der Straße, vom Arbeiten und davon, wie man sich seinen Lebensunterhalt selbst verdient und mit beschränkten Mitteln auskommt. Sarah hatte festgestellt, dass sie und Karen außer ihrer Vergangenheit wenig gemeinsam hatten, aber Gespräche, in denen Erinnerungen an Dinge heraufbeschworen wurden, die fast ein Jahr zurücklagen, waren auf die Dauer nicht gerade sonderlich interessant.

Wieder und wieder las sie ihre Tagebuchaufzeichnungen aus der Zeit, als Graffiti ihr solche Angst eingejagt hatte, dass sie aus dem Haus der Afandis geflüchtet war. Sie versuchte die Angst und Panik von damals noch einmal aufleben zu lassen um ihre rastlosen Gedanken zur Ruhe zu bringen. Sie redete sich ein, dass ihr, wenn sie sich ihre damalige Todesangst noch einmal so richtig vor Augen führen könnte, ein behütetes Zuhause doch erstrebenswert erscheinen würde.

Aber es funktionierte nicht.

Statt glücklicher zu sein wurde sie nur noch

unruhiger, sehnte sich nach Aufregung, nach Veränderung, nach irgendetwas, das die Langeweile durchbrach, die routinemäßige Teilnahme am Familienleben, das so entsetzlich öde war.

Sarah wusste, dass sie es nicht mehr lang aushalten würde.

Epilog

Der Frühlingsmorgen war hell und klar. Sarah schloss leise die Haustür hinter sich, ging zum Gartentor und atmete tief die frische Luft ein. Trotz der schweren Tasche, die sie sich über die Schulter geworfen hatte, waren ihre Schritte leicht. Die morgendliche Brise duftete, war noch nicht belastet mit den Ausdünstungen und Abgasen der Stadt, und mit einem erregten Schaudern glaubte Sarah sogar über dem süßen Blütenduft das Salz der Irischen See zu riechen. Die Straße war leer und ihre Schritte hallten in der Stille wider.

Sarah schaute zum Himmel hinauf und sah nur ein paar Wolkenstreifen am Horizont. Es versprach ein schöner Tag zu werden. Die Wettervorhersage war gut gewesen. Die Überfahrt mit der Fähre würde problemlos vonstatten gehen, sagte sie sich, als sie Richtung Dùn Laoghaire marschierte, zu den Docks. Sie empfand weder Glück noch Trauer darüber, dass sie ihre Familie erneut verließ. Sie musste es tun, hatte keine Wahl. Sie musste weg.

Aber diesmal war es anders. Diesmal hatte Sarah irgendwo tief drinnen ein Ziel, einen Plan, zwar noch vage und ohne feste Kontur, aber es gab ihn. Vor Monaten hatte es in dem kleinen Hinterzimmer eines Amtsgebäudes begonnen, mit der Anregung einer Sozialarbeiterin, die ganz unerwartet mit Sarah gesprochen hatte. Sarah hatte die damals entstandene Idee gehegt und gepflegt und sich die Worte der Sozialarbeiterin immer wieder durch den Kopf gehen lassen. Ob sie, Sarah, sich vorstellen könnte mit Obdachlosen zu arbeiten, entweder in einem Heim oder auf der Straße? Konnte sie das? Es klang verlockend und echt und so ... so ... so sehr nach *ihr*, dass Sarah wusste, es würde ihr Spaß machen. Sarah hatte es geschafft, ihrer Freundin Flady zu helfen, sie hatte den anderen in der Schlechtwetterhilfe gern zugehört und wusste, dass sie gern mit ihr über sich und ihr Leben redeten. Sie wusste, wie es war, auf der Straße zu leben, wie Furcht einflößend und kalt und dreckig es sein konnte. Das erleichterte es ihr, sich in die Ängste der andern hineinzuversetzen und sie zu verstehen. Vielleicht war das ja ihr Platz, ihre Nische. Mit Menschen zu arbeiten, die auf der Straße lebten, ihnen helfen zu können, die Möglichkeit zu haben, ihnen das Leben ein bisschen leichter zu machen, all das hörte sich wunderbar an – falls sie für diese Art von Arbeit geeignet war. Es gab nur einen Weg für Sarah, das herauszufinden: Sie musste versuchen ihr Ziel zu erreichen und es dann am eigenen Leib erfahren. Sie hatte vor ins Heim zu gehen und mit Rosie darüber zu reden, Flady ausfindig zu machen und auch mit ihr zu reden, sich mit ihrer Sozialarbeiterin zu treffen und sich deren Rat zu holen. Dann, und nur dann würden ihre verschwommenen Vorstellungen Gestalt annehmen und sich ihr so klar und deutlich präsentieren, dass Sarah sie verstehen und sich an ihre Verwirklichung machen konnte.

Sarah glaubte ein schlafendes Haus hinter sich zu lassen. Ihr mit Bedacht formuliertes Briefchen lag unschuldig unter dem Marmeladentopf auf dem Küchentisch, wo Mal es, wie sie wusste, als Erster sehen würde, wenn er zum Frühstücken herunterkam, bevor er das Haus verließ um die Jugendmannschaft des Schwimmclubs zu trainieren. Wahrscheinlich war es ihr wieder nicht gelungen, darin ihre Gefühle auszudrücken und zu erklären, warum sie wegwollte. Doch Sarah war schon seit langem der Meinung, dass kein Brief dieser Art das leisten konnte.

Als sie am Ende der Straße um die Ecke bog ohne sich ein einziges Mal nach ihrem Zuhause der vergangenen sechzehn Jahre umgeschaut zu haben, wusste sie nicht, dass Clem sie vom vorderen Schlafzimmer aus beobachtete. Er schaute ihr nach, wie sie um die Ecke verschwand, und lehnte dabei die Stirn gegen das kalte Glas. Ein runder weißer Fleck auf der Scheibe trübte den Blick auf seine Schwester, bevor sie endgültig aus seinem Blickfeld verschwand.

Er hatte gewusst, dass es darauf hinauslaufen würde. Seit Wochen hatte er gewusst, dass Sarah wieder gehen würde – vielleicht noch bevor sie es selbst ganz begriffen hatte. Er hatte die Energie gespürt, die sich in ihr anstaute, während sie sich auf ihr Weggehen vorbereitete, und an diesem Morgen war er früh aufgewacht und hatte ihren ersten Regungen gelauscht.

Aber er war im Bett geblieben, während sie sich zum Gehen bereit gemacht hatte.

Er war nicht zu ihr hinausgegangen.

Er wollte nicht mit ihr reden, sich verabschieden, ihr sagen, wie sehr er sie vermissen würde und wie viel lieber es ihm gewesen wäre, wenn sie geblieben wäre. Er wusste, dass seine Worte wenig ausrichten konnten und den Abschied nur noch schwerer machen würden. Sie musste gehen und er musste das respektieren.

Sarah war für ein Leben gemacht, das anders war als das seine. Sie würde sich wieder bei ihm melden, wenn sie bereit dazu war.

dtv pocket plus
Bücher für junge Erwachsene

Band 78054

»...Ben zum Beispiel. Ben hält sich für den Größten. Für den Einzigen. Für das Nonplusultra. Rotzt sein Selbstbewusstsein in alle Ecken, dass einem nur schlecht werden kann, und trotzdem bin ich verrückt nach ihm. Warum, weiß ich nicht...«

Liebe – was denn sonst?! Geschichten, die zur Sache gehen: frech, schnoddrig, direkt...

Band 78075

Es gäbe im Ort so gut wie keine Ausländer und damit – so folgert der Bürgermeister der biederen deutschen Kleinstadt – auch keinen Fremdenhass. Und doch brennt eines Nachts ein von Türken bewohntes Haus, nachdem der 15-jährige Marco dort Feuer gelegt hat.

Kirsten Boie lässt zu diesem Vorfall 13 Personen aus Marcos Umfeld zu Wort kommen und stellt deren Aussagen unkommentiert nebeneinander.